CW01095907

16 MÉTAMORPHOSES D'OVIDE

Crédits images (p. 164 et 168) : Extraits de l'ouvrage
La Mythologie en BD : Les Métamorphoses d'Ovide,
de Béatrice Bottet et Ariane Pinel/ Casterman

87, quai Panhard-et-Levassor – 75647 Paris Cedex 13
ISBN : 978-2-0814-8034-6

OVIDE, ADAPTÉ PAR FRANÇOISE RACHMUHL

16 MÉTAMORPHOSES D'OVIDE

Illustrations de Frédéric Sochard

Flammarion Jeunesse

INTRODUCTION

Par de nombreux aspects, l'époque d'Ovide ressemble à la nôtre. C'est une période d'incertitudes et de bouleversements : un tournant entre deux siècles, le premier avant Jésus-Christ, le premier après ; entre deux mondes, le monde païen, le monde chrétien ; et plus précisément à Rome, entre deux régimes politiques, la République et l'Empire. La naissance de l'Empire romain soulève bien des espoirs. Mais quand Ovide atteint sa maturité, une certaine désillusion s'est emparée des esprits. Ovide, comme les autres poètes, chante les louanges d'Auguste, le premier empereur, et pourtant Auguste l'envoie en exil, loin de son pays.

La vie d'Ovide

La vie d'Ovide ne nous est pas entièrement connue. Cependant nous savons qu'il est né en 43 avant

Jésus-Christ, dans une ville du centre de l'Italie. Il appartient à une famille de petite noblesse, sans grande fortune.

L'Italie est alors en pleine guerre civile. La République vit ses derniers jours. Un an auparavant, Jules César a été assassiné. Son fils adoptif, Octave, entre bientôt en lutte contre Antoine qui, lui aussi, allié à la reine d'Égypte Cléopâtre, prétend au pouvoir suprême. En 31 avant Jésus-Christ, au cours de la bataille navale d'Actium, Octave triomphe de son rival. Antoine et Cléopâtre se suicident. Quelques années plus tard, sous le nom d'Auguste, Octave devient le premier empereur romain. L'Empire est né : une période de paix s'ouvre et tous les poètes célèbrent à l'envi le nouvel empereur. Parmi eux se trouve Virgile, l'auteur de l'Énéide.

Les troubles de l'époque n'ont pas empêché le jeune Ovide de faire de bonnes études à Rome. Il apprend les règles de l'éloquence et s'entraîne à plaider. Mais il ne veut pas devenir avocat. Il n'a de goût que pour la poésie.

Afin de compléter son éducation, son père l'envoie en Orient, comme c'est la coutume pour les fils de bonne famille. Pendant trois ans, Ovide, accompagné d'un ami, parcourt les rives du bassin méditerranéen. Il visite la Grèce, patrie d'Ulysse et de Thésée, se rend en Asie mineure, pour voir Ilion, la cité reconstruite sur les ruines de Troie. Il s'arrête longuement en Sicile, pris par le charme de villes telles que Syracuse, fondée autrefois par les Grecs, et plein d'admiration pour le spectacle grandiose de la nature, les vapeurs sulfureuses des marais et les flammes de l'Etna. Ainsi se fixent dans son esprit les traits des paysages qui serviront de cadres aux futurs épisodes des Métamorphoses.

Rentré à Rome, Ovide se lance dans la carrière d'homme de lettres et publie son premier recueil, les Amours, *en 15 avant Jésus-Christ. D'autres livres lui succèdent, en particulier les* Héroïdes, *lettres imaginaires d'héroïnes de la mythologie, et l'*Art d'aimer. *Il écrit aussi une tragédie,* Médée, *aujourd'hui perdue.*

Ses livres connaissent le succès. Virgile, le grand poète du règne d'Auguste, est mort en 19 avant Jésus-Christ. Ovide, plus jeune, devient un auteur à la mode. Ses ouvrages, essentiellement consacrés aux peines et aux plaisirs de l'amour, le font considérer comme un écrivain agréable et frivole, parfois immoral. Mais en même temps qu'il rédige ces pièces légères, il commence à composer une œuvre d'une tout autre importance : les Métamorphoses.

En contant les métamorphoses des dieux et des hommes, en retraçant leur histoire du commencement du monde jusqu'à la mort de Jules César, Ovide a l'ambition d'égaler Virgile, les Métamorphoses *peuvent rivaliser avec l'*Énéide.

Alors qu'il est plongé dans la rédaction de son ouvrage, pas tout à fait terminé, en l'an 8 après

Jésus-Christ, le poète reçoit de l'empereur Auguste l'ordre de quitter Rome. Il y laisse sa femme, sa fille, tous ses biens. Il part en exil à Tomes, au bord de la mer Noire, dans l'actuelle Roumanie. Nous ignorons pour quelles raisons exactes le poète est ainsi relégué dans une contrée froide et lointaine, que les Romains considèrent comme un pays barbare. Dans son désespoir, avant de partir, Ovide brûle un exemplaire des Métamorphoses. *Heureusement plusieurs copies de l'œuvre circulent déjà à Rome.*

Malgré ses nombreuses suppliques à l'empereur, puis à son successeur Tibère, Ovide doit demeurer en exil. Il écrit encore deux recueils aux titres significatifs, les Tristes *et les* Pontiques *(la mer Noire est appelée le Pont-Euxin par les Romains). Il meurt en 17 après Jésus-Christ : il n'aura pas vécu assez longtemps pour entendre parler du christianisme, cette religion nouvelle qui transformera le monde.*

Les Métamorphoses

Quinze volumes, plus de 12 000 vers, 230 récits de métamorphoses : voici un des plus longs poèmes de l'Antiquité.

L'œuvre a du succès dès l'époque d'Ovide. Pour les auteurs du Moyen Âge, elle représente un réservoir inépuisable de citations et d'histoires. À la

Renaissance, avec l'invention de l'imprimerie, les éditions se succèdent. Depuis, au long des siècles, les Métamorphoses *continuent à inspirer poètes, peintres et musiciens. Elles intéressent encore le lecteur moderne. Elles font partie du patrimoine culturel de l'Europe. Pourquoi ce succès qui ne se dément pas ?*

Ovide est d'abord un excellent conteur, vivant et varié, capable de prendre tous les tons, tendre ou violent, tragique ou amusé, d'interrompre un récit pour en conter un autre, à la manière de Shéhérazade dans Les Mille et Une Nuits, *d'établir des liens d'un conte à l'autre, grâce au rappel d'un épisode précédent, à la présence d'un personnage déjà connu : tous procédés qui maintiennent le lecteur en haleine et lui donnent envie de savoir la suite.*

Ovide connaît aussi le cœur humain dans toute sa complexité. Ses héros sont en proie au doute, au regret, à la passion, à la folie. L'écrivain nous livre leurs monologues intérieurs, nous les montre pesant le pour et le contre avant d'agir et nous fait partager ainsi leurs émotions et leurs sentiments.

Un autre intérêt du livre, c'est de nous fournir, au fil du récit, toutes sortes de renseignements sur la manière de vivre des Anciens : les repas, les travaux et les jeux, les rites du mariage ou du deuil, les pratiques religieuses. Le décor est toujours tracé avec précision et le sens du pittoresque. Certaines descriptions font songer aux chefs d'œuvre de l'art antique :

la tapisserie tissée par Pallas, avec ses dieux sagement alignés, évoque une frise du Parthénon.

Ovide ne se contente pas de répertorier, avec beaucoup de talent et d'érudition, des récits mythologiques, ou même de les inventer, car cela lui arrive. Comme les hommes de son époque, il ne croit pas aux dieux dont il narre les aventures. Mais il nous fait part d'une réflexion sur les grands problèmes de la vie. Il expose une philosophie inspirée par des penseurs grecs ou latins : à ses yeux, l'univers est en perpétuelle métamorphose, tout se meut et se transforme sans cesse, et l'amour est la force vitale qui anime choses et gens.

Ce monde en perpétuel mouvement, le sculpteur ou le musicien est chargé de l'exprimer et, dans une certaine mesure, d'agir sur lui. Grâce aux figures de Pygmalion, d'Apollon, et surtout d'Orphée, qui sont ses porte-parole, Ovide nous invite à réfléchir au rôle de l'artiste et au mystère de la création artistique.

L'adaptation

Mettre à la portée des enfants d'aujourd'hui certaines des Métamorphoses *d'Ovide est un travail plaisant mais difficile. Il s'agit d'une adaptation, non d'une traduction, l'expérience montrant qu'un texte trop fidèle, hérissé de mots compliqués, bardé de références mythologiques, semble incompréhensible aux jeunes lecteurs et les lasse vite...*

Le souci de sélectionner des passages variés, captivants et significatifs m'a guidée dans mes choix. J'ai pris soin de conserver le mouvement de chaque texte et le déroulement des épisodes, de respecter le caractère des personnages et la tonalité de chaque extrait. Mais pour rendre le récit plus facile à suivre et à savourer, j'ai souvent dû abréger, condenser, supprimer parfois certaines longueurs, gardant seulement quelques détails expressifs.

Ovide s'adressait à des esprits cultivés, pour lesquels la mythologie n'avait pas de secrets. Il pouvait procéder par allusion, sûr d'être compris. Ce n'est plus le cas à présent : bien des éléments de la vie compliquée des dieux et de leur généalogie nous échappent. J'ai donc simplifié les nomenclatures, exprimé en clair les allusions et, pour ne pas alourdir à l'excès le texte par des notes, incorporé quelquefois au récit les explications indispensables.

Tel qu'il est, ce petit recueil ne prétend pas à la perfection. Mais il voudrait donner à ceux qui le liront une idée juste d'un grand auteur latin, de la richesse de son œuvre, de la beauté de son écriture et leur permettre de pénétrer, le temps de la lecture, dans le monde d'Ovide, à la fois réaliste et merveilleux.

1. Au commencement du monde : Deucalion et Pyrrha

Pour Ovide, le monde des dieux ressemble beaucoup à celui des hommes. C'est une société très hiérarchisée. Jupiter, le maître du monde, se trouve au sommet du ciel, ensuite les grands dieux, dans des demeures proches, enfin, plus loin, la foule des petits dieux. Ainsi en est-il du mont Palatin, l'une des sept collines de Rome, sur laquelle l'empereur Auguste fait construire son palais, alors que les notables et les gens du peuple habitent plus bas dans la ville.

Déjà la terre avait émergé du chaos, mélange confus de tous les éléments. Elle existait, plate et ronde, avec la mer tout autour, le ciel au-dessus, le soleil dans le ciel.

Déjà le monde était peuplé par les Titans, géants primitifs, et par les dieux, dont Jupiter était le souverain.

Déjà Prométhée, un Titan ingénieux, avait façonné l'homme, avec de la boue et de l'eau.

Les hommes s'étaient multipliés à la surface de la terre. Ils vécurent d'abord heureux, pieux et honnêtes. Mais, avec le temps, ils cessèrent de s'entendre, se disputèrent, s'entretuèrent. Et plus personne ne s'inclinait devant l'autel des dieux.

Voyant cela, du haut de sa demeure divine, une sorte de Palatin du ciel, Jupiter entra dans une violente colère. Il convoqua tous les dieux. Ils arrivèrent par la Voie lactée, les grands dieux qui habitaient des palais proches, et la foule des petits dieux, venus de plus loin. Ils prirent place dans la salle de marbre, devant le trône de leur souverain.

Jupiter était assis, s'appuyant sur son sceptre d'ivoire, l'air terrible. Il hocha la tête à plusieurs reprises et ses mouvements ébranlèrent la terre, la mer et jusqu'aux astres.

Il parla :

« Je veux détruire la race des humains. Ils ont commis trop de crimes. Je les savais malhonnêtes et méchants. Leur mauvaise réputation était parvenue jusqu'à mes oreilles. J'ai voulu en avoir le cœur net. Sous un déguisement, je suis descendu parmi eux. Ce que j'ai vu dépasse de loin ce qu'on pouvait imaginer. Je les ferai tous disparaître. Je le jure par le Styx. »

Le serment par le Styx est le plus redoutable : personne, même le maître du monde, ne peut s'en dédire.

Un frisson parcourut l'assemblée des dieux. Si certains approuvaient pleinement leur souverain, d'autres s'inquiétaient à l'idée de la disparition des hommes.

« Qui viendra nous honorer et faire brûler l'encens sur nos autels, quand il n'y aura plus au monde que des animaux sauvages ? demandèrent-ils.

— Je prends l'entière responsabilité de cette affaire, affirma Jupiter. Je vous promets qu'une nouvelle race d'hommes renaîtra bientôt, miraculeusement, et repeuplera la terre. »

Le maître des dieux se préparait à lancer sa foudre sur les mortels, mais il craignit de faire flamber l'univers tout entier et reposa son arme à ses côtés. Il décida d'anéantir les hommes non par le feu, mais par l'eau.

Il enferma l'Aquilon, le vent capable d'écarter les nuages, et libéra le Notus, le vent du sud qui amène la pluie.

Le Notus lève son visage effrayant, aussi sombre que la poix. Il déploie ses ailes, il secoue sa barbe blanche, ses cheveux ruisselants. D'une main, il presse le ventre des nues, et des cataractes se déversent. Aussitôt Iris, la messagère des dieux à la robe d'arc-en-ciel, aspire l'eau pour en nourrir les nuages. Sur terre, les moissons noyées sont perdues et les paysans se désolent.

Mais cela ne suffit pas à Jupiter. Il demande de l'aide à son frère, Neptune, qui accourt du fond de l'océan. Celui-ci appelle les fleuves, ses sujets, et leur donne ses ordres.

« Libérez-vous, sortez de votre lit, rompez vos digues, déchaînez votre violence. »

Les fleuves obéissent. Tandis que le dieu des eaux frappe de son trident la terre qui se crevasse, ils roulent leurs flots furieux vers la mer, entraînant tout sur leur passage, hommes, arbres, animaux, maisons, même les temples, demeures sacrées des dieux.

Les humains d'abord se réfugient au sommet des collines ou dans des barques, naviguant au-dessus de ce qui était leur champ de blé, leur vigne, leur ferme. Des poissons perchent dans les arbres, là où broutaient des chèvres jouent des phoques, des dauphins sautent dans les branches des chênes. L'eau monte encore, recouvre les toits, les tours les plus hautes. Ses remous entraînent des loups avec des brebis, des lions, des tigres, des cerfs, des sangliers. Les oiseaux volent longtemps et, ne sachant où se poser, tombent. Tous les êtres vivants que la noyade a épargnés finissent par mourir de faim.

La terre entière est recouverte par une immense étendue d'eau sans rivages, clapotant jusqu'à l'horizon. Seul émerge encore le double sommet du mont Parnasse. C'est là qu'échoue la pauvre barque de Deucalion et de Pyrrha.

Deucalion était le fils de Prométhée, le Titan qui avait modelé les hommes, au commencement du monde. Pyrrha était à la fois son épouse et sa cousine germaine. On ne pouvait trouver homme plus vertueux, ni femme plus respectueuse envers les dieux.

À peine eurent-il abordé sur les pentes du mont Parnasse qu'ils se mirent à prier les nymphes habitant là et la déesse Thémis, qui rendait alors en ce lieu des oracles.

Jupiter remarque ces deux justes, seuls survivants parmi les milliers de morts, au milieu de la plaine liquide.

Alors il délivre l'Aquilon, repousse les nuages, fend le rideau de pluie. Dans l'océan, Neptune dépose son trident. Il appelle Triton, le dieu azuré, couleur d'eau, aux épaules couvertes de coquillages. Triton surgit, une conque à la main. Il la porte à sa bouche et souffle longuement, comme dans une trompe. Au son, les fleuves se rangent, les eaux baissent, la mer retrouve ses rivages. Des collines réapparaissent, ainsi que des forêts aux branches dépouillées, couvertes de boue.

La terre retrouve sa forme première, mais elle est dévastée, déserte, silencieuse. Les yeux de Deucalion se remplissent de larmes.

« Nous sommes seuls au monde, ma chère épouse, et la terreur est toujours dans mon âme. Que serais-tu devenue sans moi ? Et moi, si tu avais disparu ? Je t'aurais suivie dans les flots... Oh ! si seulement je pouvais repeupler la terre et façonner des hommes, comme mon père l'a fait au commencement du monde ! »

Tous deux pleurent. Ils supplient la déesse Thémis, qui demeure dans son temple en ruine, de bien vouloir les aider et les éclairer en rendant un oracle. Ils se purifient, selon les rites prescrits, dans les flots boueux de la rivière proche, mouillent leur tête et leurs vêtements, entrent dans le sanctuaire, sali par la mousse, et se prosternent devant l'autel, où ne brûle plus aucun feu.

Thémis a pitié d'eux.

« Quittez le temple, leur dit-elle. Couvrez votre tête, dénouez votre ceinture et jetez derrière vous les os de votre grande mère. »

Deucalion et Pyrrha restent longtemps muets de stupéfaction. La première, Pyrrha prend la parole, d'une voix tremblante :

« Non... Je ne peux pas suivre le conseil de l'oracle... J'aurais peur d'offenser l'ombre de ma mère morte. »

Deucalion ne répond pas. Il réfléchit. Enfin il rassure sa femme :

« L'oracle ne nous demande pas de commettre un sacrilège. Notre grande mère, c'est la terre ; ses os, ce sont les pierres que nous devons jeter derrière nous. Essayons. »

Ils essaient et voici que les pierres qu'ils lancent dans leur dos, en tombant, s'amollissent, se gonflent, prennent une vague forme humaine, telles des ébauches de statues. Les parties humides deviennent chair ; les parties dures, squelette ; les veines de la roche restent des veines. Derrière Deucalion naissent des hommes, derrière Pyrrha, des femmes.

Race nouvelle des humains, qui est encore aujourd'hui la nôtre, résistante au travail, dure à la peine, puisqu'elle a la force des pierres.

(livre I)

2. Les métamorphoses d'Io

Nous allons voir comment la nymphe Io se transforme en Isis, une déesse égyptienne dont le corps est celui d'une femme et la tête est surmontée par des cornes de vache. Le culte d'Isis s'est d'abord répandu en Grèce, à partir de la fondation d'Alexandrie, au IVe *siècle avant Jésus-Christ. À Rome, elle est une des plus importantes parmi les divinités venues de l'étranger. Au temps d'Ovide, les mystères d'Isis sont surtout célébrés par les femmes.*

La nymphe Io avait disparu. Elle était la fille chérie du fleuve Inachus, qui coule en Grèce, dans l'Argolide.

Io avait disparu soudain et son père la cherchait partout. Où était-elle allée ? Était-elle seulement encore en vie ?

Or voici ce qui s'était passé.

Un beau jour d'été, Io venait de quitter son père et s'éloignait des bords du fleuve, par un petit chemin de campagne, quand Jupiter l'avait aperçue.

« Ô jeune fille digne du maître du monde, s'était-il exclamé, bienheureux sera celui à qui tu donneras ton cœur ! À cette heure la plus chaude de la journée, viens donc avec moi, sous les grands arbres, profiter de l'ombre de la forêt. Si tu as peur des bêtes sauvages, sache que tu es sous la protection d'un dieu... Et quel dieu !... Moi, moi-même, dont la main tient le sceptre royal et lance la foudre sur le monde... Mais que fais-tu ?... Non, ne fuis pas ! »

Io, en effet, s'était mise à courir. Déjà elle avait dépassé les plaines marécageuses et les monts boisés de l'Argolide.

Jupiter aussitôt recouvrit la terre d'une épaisse couche de nuages et l'obscurité devint telle qu'elle arrêta la nymphe dans sa fuite. Le roi des dieux put aimer Io tout à son aise.

Mais, du haut du ciel, Junon, son épouse, veillait. Elle vit cette masse nuageuse se former subitement et changer le brillant jour d'été en nuit.

« D'où sortent ces nuages ? se demanda-t-elle. Ils ne viennent ni du fleuve, ni de la terre mouillée...

Et où peut se trouver mon époux ? Il n'est nulle part dans le ciel, son domaine. »

Junon savait à quel point Jupiter était volage, elle se douta qu'il la trompait. Elle se laissa glisser de son palais céleste sur la terre et donna l'ordre aux nuages de se disperser. Heureusement le maître des dieux, devançant l'arrivée de sa femme, avait déjà métamorphosé Io en vache.

C'était une génisse magnifique, aux flancs arrondis, au poil luisant, couleur de neige.

« Comme elle est belle ! s'écria Junon en s'approchant d'elle et de Jupiter. D'où vient cette bête ? Quel est son maître ? Je ne vois pas son troupeau... Mon cher époux, fais-m'en cadeau ! »

Voici Jupiter bien embarrassé. S'il donnait Io à son épouse, celle-ci se vengerait sur la malheureuse bête : c'était cruel. S'il ne la lui donnait pas, Junon trouverait ce refus suspect et devinerait que la génisse était sa rivale : c'était risqué. Tout compte fait, il valait mieux que la déesse reçût en présent l'animal.

Dès que Junon, toujours méfiante, eut la génisse en sa possession, elle la confia à la garde d'Argus.

Argus avait cent yeux tout autour de la tête. Deux d'entre eux, à tour de rôle, s'abandonnaient au sommeil, pendant que les autres veillaient. Aussi, quel que fût l'endroit où Io se trouvait, l'avait-il toujours sous les yeux.

Le jour, Argus la laissait paître. La nuit, il passait une corde autour de son cou et l'enfermait. Elle avait pour nourriture des feuilles et de l'herbe amère, pour lit le sol desséché, pour boisson de l'eau pleine de boue.

Elle tenta d'apitoyer Argus et, dans l'attitude d'une suppliante, essaya de lui tendre les bras : elle n'avait plus de bras. Elle voulut se plaindre : de sa bouche sortit un mugissement qui la terrifia.

Elle se rendit sur les bords de l'Inachus, le grand fleuve, son père. Autrefois, elle avait joué avec ses compagnes en ce lieu. À présent, l'eau reflétait son mufle et ses cornes. Quand elle se vit, elle s'enfuit.

Elle revint. Le fleuve ne savait quelle était cette bête superbe, pas plus que les Naïades, ses filles, qui vivent dans les flots. La vache s'approchait de la rive, suivait son père et ses sœurs, se laissait caresser, acceptait l'herbe que le vieil Inachus avait coupée pour elle. Elle lui léchait les mains, elle aurait voulu l'embrasser, pleurer, parler. À défaut de mots, elle se servit de ses sabots pour écrire son nom dans la poussière.

« Malheureux que je suis ! gémit le fleuve. Comment... c'est toi, ma fille ? Je souffrais de t'avoir perdue, je souffre encore plus de t'avoir retrouvée... Tu te tais, tu soupires. Tout ce que tu peux faire, c'est me répondre en mugissant... Dire que je prévoyais ton mariage, je préparais pour toi les torches nuptiales, je me réjouissais d'avoir un gendre et des petits-enfants... Et c'est dans un troupeau que tu trouveras un mari !... Je souffre et ma peine sera éternelle, car les dieux tels que moi ne peuvent pas mourir. »

Comme le père et la fille se lamentaient, Argus survint et les sépara. Il conduisit la génisse au pâturage et, pour mieux la surveiller, se posta sur un rocher, au sommet d'une montagne.

Jupiter les vit. Il ne put supporter les souffrances qu'endurait Io. Il appela son fils, le dieu Mercure, et lui ordonna de tuer Argus.

Mercure chausse ses sandales ailées, met sa coiffure, prend sa baguette, qui fait dormir ceux qu'elle touche. Il saute sur la terre, se déchausse, se découvre la tête, ne gardant à la main que sa baguette. Il s'en sert, comme un berger de son bâton, pour pousser le troupeau de chèvres, qu'il a prises au passage, et il joue de la flûte.

C'est une flûte de Pan, faite de roseaux de longueur inégale, assemblés avec de la cire : on l'appelle aussi une syrinx.

Les sons qu'il en tire charment les oreilles d'Argus.

« Viens donc t'asseoir près de moi, sur ce rocher, propose-t-il au dieu. Nulle part l'herbe n'est meilleure pour les bêtes, ni l'ombre pour les bergers. » Mercure s'assoit et entame la conversation avec le gardien d'Io. La journée s'écoule, il parle toujours et, quand il ne parle pas, il joue de la flûte, espérant endormir Argus.

Mais celui-ci lutte contre l'assoupissement : si certains de ses yeux se ferment, d'autres restent bien ouverts.

« Dis-moi, qui a créé une flûte comme la tienne ? » demande-t-il au dieu d'une voix ensommeillée.

Mercure alors commence à lui conter l'histoire du dieu Pan et de Syrinx, la nymphe transformée en roseau. Au moment où il va expliquer pourquoi Pan a l'idée d'assembler les roseaux et d'en faire une flûte, il s'aperçoit qu'Argus s'est endormi.

Pour rendre son sommeil plus lourd, il le touche de sa baguette. Puis il lui tranche la tête et la jette du haut du rocher. Les cent yeux, enfin fermés, roulent dans le précipice.

Junon accourt et se désole. Elle les recueille pieusement, pour en orner son oiseau favori. Désormais, quand le paon déploiera sa queue, les cent yeux d'Argus, cachés dans les plumes, sembleront s'ouvrir.

Mais Junon est furieuse et ne tient pas sa rivale pour quitte. Elle continue à la poursuivre de sa haine et la pique avec un aiguillon invisible.

Affolée par la souffrance, la génisse s'enfuit. Elle parcourt le monde entier. Enfin elle arrive en Égypte, sur les bords du Nil. Là, elle s'arrête, s'agenouille, renverse la tête, lève les yeux au ciel et pousse des beuglements déchirants.

Jupiter l'entend. Il s'approche de son épouse, lui entoure le cou de ses bras, la supplie de mettre fin aux souffrances de la malheureuse.

« Tu n'auras plus à t'inquiéter à son sujet. Je ne jetterai plus mes regards sur elle. Je te le promets solennellement. Je te le jure par le Styx, le grand fleuve des Enfers. »

Junon s'apaise. Io peut reprendre sa forme première.

Ses poils tombent, ses cornes diminuent, ses gros yeux ronds s'allongent. Son mufle redevient visage, elle recouvre ses mains, ses pieds, au lieu de sabots. De la génisse il ne lui reste que la beauté.

Elle se redresse. Elle est debout. Mais elle a peur de parler, elle craint que de sa bouche ne sortent encore des mugissements. Elle parvient cependant à prononcer les mots dont elle a perdu l'habitude.

Puisque l'Égypte l'a accueillie, elle décide d'y demeurer. C'est là qu'elle met au monde l'enfant qu'elle a conçu de Jupiter, Épaphus.

Aujourd'hui Io reçoit les hommages des Égyptiens vêtus de lin. Ils lui ont construit des temples, pour elle et pour son fils, car elle est devenue la grande déesse Isis, dont le beau corps de femme est surmonté par des cornes de vache.

(livre I)

3. La course de Phaéton

Pour les Anciens, la terre était un disque plat, entouré par la mer, et le soleil tournait autour. Ils se représentaient celui-ci comme un dieu, debout sur son char tiré par des chevaux. Le matin, il sortait de l'océan, à l'est, et, après avoir parcouru le ciel, il descendait dans les flots, à l'ouest, le soir. Chez les Grecs et chez les Latins, le Soleil, ou Phébus, est parfois assimilé à Apollon ; ce n'est pas le cas chez Ovide, qui fait du Soleil et d'Apollon deux divinités distinctes.

Phaéton était un bel adolescent, sûr de lui et surtout très fier d'avoir pour père le Soleil, le dieu Phébus en personne. Il vivait avec sa mère, une mortelle qui avait épousé le roi d'Éthiopie.

Un jour qu'il jouait avec Épaphus, l'enfant que la nymphe Io avait eu de Jupiter, les deux garçons en vinrent à se disputer. Phaéton traitait de haut son camarade, pourtant fils du roi des dieux. Mais n'était-il pas, lui, Phaéton, fils du Soleil ? L'autre, révolté, lui cria :

« Es-tu tellement sûr que le Soleil soit ton père ? Tu es bien sot de croire ce que te dit ta mère et de te glorifier de ta naissance ! »

Phaéton rougit et ne répliqua pas. Il alla aussitôt trouver sa mère.

« Mère... Mère... Moi qui suis franc, moi qui suis fier, j'ai dû me taire... J'ai honte... Dis-moi, le Soleil est-il vraiment mon père ? Quelle preuve peux-tu me donner ? »

Sa mère, indignée, tendit le bras vers le ciel et, fixant le disque lumineux, jura que le dieu Phébus en personne était vraiment le père de son enfant.

« Si je mens, ajouta-t-elle, qu'il cesse de m'éclairer ! Et que mes yeux le voient pour la dernière fois !... Mais va donc le trouver, Phébus, ton père. Nous sommes en Éthiopie et sa demeure est près d'ici. Interroge-le toi-même. »

Phaéton bondit, tout joyeux. Il traversa l'Éthiopie et prit le chemin qui montait dans le ciel jusqu'à la demeure de son père.

Le palais du Soleil s'élevait sur de hautes colonnes, resplendissant d'or, d'ivoire et d'argent. Les doubles battants de sa porte avaient été ciselés par Vulcain, le dieu forgeron. Il y avait représenté le monde, les eaux, la terre et le ciel. On pouvait y voir les divinités marines, Triton avec sa conque, Protée au corps changeant, le géant Égéon chevauchant le dos énorme des baleines, et toutes les filles de l'Océan. Les unes nageaient, les autres, assises sur un rocher, séchaient leur chevelure verte, d'autres se laissaient porter par des poissons. Il y avait aussi, sur la surface de la terre, parmi les hommes, dans la campagne, dans les forêts, toutes sortes de divinités champêtres. Enfin, en haut, était figuré le ciel avec les signes du zodiaque, six sur un battant de la porte, six sur l'autre.

Phaéton entra. Il se hâtait vers le Soleil, mais bientôt il dut s'arrêter, ne pouvant supporter son éclat. Le dieu Phébus, vêtu d'un manteau de pourpre, était assis sur un trône étincelant d'émeraudes. À ses côtés se tenaient les Jours, les Mois, les Années, les Siècles ; puis les Heures, à intervalles réguliers ; enfin le Printemps, la tête couronnée de fleurs, l'Été, nu, portant des guirlandes d'épis, l'Automne, barbouillé par le jus de la vigne, l'Hiver de glace, à la chevelure en broussaille. Comme Phaéton contemplait ce spectacle prodigieux avec surprise et avec crainte, le Soleil, qui voit tout, l'aperçut.

« Pourquoi es-tu monté jusqu'ici ? Qu'es-tu venu chercher ? Dis, Phaéton, mon enfant, toi que je ne saurais renier pour mon fils ?

— Phébus, toi qui brilles pour tous sur le monde immense, toi qui te dis mon père, si ma mère ne m'a pas menti, donne-moi une preuve de ta paternité, afin que personne n'en doute et que je n'en doute pas moi-même. »

En entendant ces mots, le Soleil enleva les rayons brûlants qui ornaient sa tête et fit signe au jeune homme d'approcher.

« Tu es bien mon fils, lui dit-il en le serrant dans ses bras. Ta mère t'a dit la vérité sur ton origine. Et pour que tu n'en doutes pas, en guise de preuve, demande-moi ce que tu veux, je te l'accorderai. J'en prends pour témoin le Styx, le marais infernal que je ne connais pas et par lequel jurent les dieux.

— Mon père !... Puisqu'il en est ainsi, prête-moi ton char et laisse-moi le conduire toute une journée à travers le ciel. »

Phaéton n'avait pas plus tôt prononcé ces mots que le Soleil se repentait de la promesse qu'il venait de faire si imprudemment.

« Si seulement je pouvais rompre mon serment, fit-il en secouant la tête, c'est la seule chose, mon fils, que je te refuserais. Hélas ! il ne m'est pas permis de revenir sur ma parole ! Je peux du moins te déconseiller une tentative si dangereuse. Toi qui n'es qu'un enfant, tu n'as ni les forces ni l'expérience nécessaires pour accomplir une tâche qu'aucun mortel, aucun dieu – même pas Jupiter – ne peut accomplir à ma place. Tu n'imagines pas comme le chemin à suivre est difficile. Au départ, le matin, la pente est si raide que les chevaux, pourtant fringants, ont de la peine à la gravir. Au milieu du jour, la route franchit de tels sommets que moi-même, en voyant la terre et la mer de si haut, j'en tremble d'épouvante. À la fin de la journée, la descente est vertigineuse et Téthys, l'épouse de l'Océan, qui m'accueille au sein de ses flots, craint chaque soir que je ne me fracasse.

Ne va pas croire que tu trouveras dans le ciel des bois, des villes, des sanctuaires. Non, ce que tu trouveras, ce sont des pièges et des monstres. Les constellations, telles des bêtes féroces, se dresseront à ton approche. Tu devras éviter les cornes du Taureau, l'arc du Sagittaire, la gueule du Lion, les pattes du Scorpion, les pinces de ce crabe qu'on appelle Cancer. Et tu auras du mal à conduire mes chevaux, tant les rênes leur sont insupportables...

Mon enfant, vois dans quelle angoisse tu me plonges ! N'est-ce pas une preuve suffisante de ma paternité ? Renonce à ton projet, demande-moi autre chose, n'importe quoi... Choisis parmi les richesses du monde... Tu ne veux pas ? Pourquoi, jeune fou, te pends-tu à mon cou ? C'est vrai que j'ai promis d'exaucer ta demande. Pourtant, écoute-moi, je t'en prie, montre-toi raisonnable... »

Mais Phaéton ne voulut rien entendre et persista dans son projet. Son père eut beau retarder le départ le plus possible, arriva le moment où il dut conduire le jeune audacieux à son char.

Ce char était un cadeau de Vulcain, entièrement fait d'or ; seuls les rayons des roues étaient d'argent. Quant au joug sous lequel on attelait les chevaux, il brillait de l'éclat de mille pierreries, renvoyant l'éclat du Soleil.

Phaéton, rempli d'admiration, prit le temps de regarder tout en détail. Cependant l'Aurore ouvrait les portes de ses jardins de roses. Lucifer, l'étoile du matin, rassemblait le troupeau des autres étoiles et s'éloignait avec elles. Le croissant de la lune pâlissait, le monde entier prenait une couleur de rose.

Phébus alors ordonna aux Heures d'aller chercher ses chevaux dans leur écurie, où ils s'étaient gorgés d'ambroisie, la nourriture céleste des dieux. Ils sortirent, vomissant des flammes. Phébus enduisit le visage de son fils d'une lotion destinée à le protéger des brûlures et fixa sur sa chevelure une couronne de rayons. Puis il lui fit ses dernières recommandations, en soupirant, car il pressentait un malheur.

« Ne te sers pas de l'aiguillon pour piquer mes chevaux. Ils n'ont pas besoin qu'on les presse, il faut au contraire les freiner. Pour maîtriser leur fougue, tiens fermement les rênes.

Ne traverse pas le ciel en ligne droite. Prends le chemin oblique qui décrit une large courbe. Comme je passe toujours par là, tu n'auras qu'à suivre la trace des roues.

Évite les pôles, ne va ni trop haut, ni trop bas : trop haut, tu risquerais d'incendier les demeures divines, trop bas, de faire flamber la terre... Mais tandis que je parle, la nuit s'achève, l'Aurore luit. Nous ne pouvons attendre plus longtemps. Va, mon enfant, que la Fortune te protège ! C'est une divinité puissante, je remets ton sort entre ses mains. Prends les rênes que voici... Non, attends, donne-les-moi plutôt, tant que c'est encore possible... Tant que tu es encore ici en sûreté, laisse-moi, à ta place, répandre la lumière... »

Mais Phaéton n'entend pas. Plein d'ardeur et de joie, il monte sur le char, se redresse, saisit les rênes. Avant de s'éloigner, il remercie son père dont le cœur se serre.

Les quatre chevaux ailés, le Brillant, le Brûlant, l'Éclatant et l'Oriental, hennissent, jettent des flammes et frappent de leurs sabots les barrières que leur ouvre Téthys, reine de l'Océan. Ils s'élancent, ils battent l'air de leurs ailes, ils fendent les nuages amassés sous leurs pieds, ils devancent le Vent d'Est, levé à l'orient au même moment qu'eux.

Et bientôt ils s'étonnent de ne pas sentir sur leur cou peser le joug. Sous le faible poids du jeune homme, le char est plus léger que d'ordinaire. Il bondit, comme s'il était vide, ballotté dans l'espace ainsi qu'un navire sans lest entraîné sur la mer. Dès que l'attelage s'en rend compte, il s'emporte loin de la route habituelle. Phaéton prend peur. Il ne sait de quel côté tirer sur les rênes ni quel chemin suivre ; il ne sait comment diriger ses chevaux. Pour la première fois, les sept étoiles de la Grande Ourse, fixées au nord, connaissent l'ardeur du soleil, tentent en vain de lui échapper. La constellation du Serpent, engourdie par le froid polaire, s'éveille et se dresse, pleine de rage. La constellation du Bouvier, lentement, s'enfuit.

Phaéton jette les yeux autour de lui. Il aperçoit, tout au fond d'un gouffre, la terre minuscule. À cette vue, il pâlit, ses genoux tremblent, son regard s'obscurcit. Ah ! comme il voudrait n'avoir jamais touché au char de son père, n'avoir jamais voulu connaître son origine !... Si seulement il était resté en Éthiopie, quitte à passer pour le fils du roi, son beau-père !... À présent que peut-il faire ? Derrière lui, l'espace immense. Devant lui, l'espace, plus immense encore... Entre le levant qu'il a quitté depuis longtemps et le couchant qu'il n'atteindra jamais, il mesure la distance. Que faire ? Il ne sait pas. Il demeure stupide. Il ne connaît même pas les noms de ses chevaux. Pourtant, d'une main qui tremble, il tient encore les rênes.

Tout autour de lui, dans le ciel changeant, les astres prennent des formes monstrueuses. Le Scorpion s'anime, arrondit ses pattes, étale sa queue et ses pinces courbes, occupant à lui seul la place de deux signes du zodiaque. Quand Phaéton voit la bête, enduite d'un venin noirâtre, le menacer de son dard, il perd la tête. Cette fois, dans sa terreur, il lâche les rênes. Alors les chevaux s'emballent, bondissent dans des zones inconnues, vont où bon leur semble, partout se ruent sans contrainte, tantôt montent, tantôt descendent. La Lune, sœur du Soleil, s'étonne de voir les chevaux de son frère galoper loin en dessous d'elle.

Quant à la Terre, elle souffre sous l'action de la chaleur. Les nuages s'évaporent, les sommets des monts s'embrasent, le sol se crevasse, les moissons d'elles-mêmes prennent feu, arbres et prés se consument, sources et fleuves se tarissent, les forêts sont anéanties. Des villes, des nations entières périssent, et toutes les montagnes flambent, le Parnasse à double cime, l'Etna, volcan redoutable, l'Hélicon, séjour des Muses, et l'Olympe et le Caucase et les Alpes et l'Apennin.

Si la Terre est en flammes, dans le ciel aussi la chaleur devient intolérable. Phaéton aspire avec peine l'air brûlant ; sous ses pieds, le char est chauffé à blanc ; les cendres qui volettent autour de son visage l'aveuglent. Il ne sait où il est, où il va, où les chevaux l'entraînent.

C'est alors que la peau des Éthiopiens noircit, que la Libye se transforme en désert et que le Nil, épouvanté, s'enfuit au bout du monde pour cacher sa source, en laissant ses sept embouchures devenir sept vallées de sable. Tandis que les nymphes pleurent leurs sources perdues, les grands fleuves de l'univers s'assèchent et fument au milieu de leurs eaux taries. Même le Tartare, le pays sombre et souterrain des Morts, est atteint par la lumière qui se faufile par les fissures du sol. Et le roi des Enfers a peur.

La mer rétrécit, des îles nouvelles apparaissent, des plaines sablonneuses remplacent les étendues liquides. Plus de dauphins joueurs, plus de phoques ; les poissons pour survivre descendent dans les grands fonds et les divinités marines se réfugient dans des grottes tièdes. À trois reprises, Neptune, roi de la mer, élève au-dessus des flots son visage et son bras menaçants. À trois reprises, il doit les abaisser, ne pouvant supporter l'air embrasé.

La Terre elle-même se plaint, la Mère nourricière, épuisée, accablée. Elle porte la main à son front avec un tremblement qui ébranle le monde et, s'affaissant au-dessous de son niveau habituel, elle fait entendre sa voix sacrée.

« Ô Jupiter, dieu suprême, si j'ai mérité de mourir, que du moins ce soit par ta foudre… J'ai peine à parler tant la gorge me brûle. Vois, je ne peux plus respirer. Ma chevelure est ravagée, mon visage couvert de cendres. Est-ce la récompense des services que je rends ? Moi qui supporte les blessures que m'infligent la pioche et la charrue, moi qui fournis du fourrage aux bêtes, des céréales aux hommes, et aux dieux de l'encens ? Admettons que j'aie mérité la mort. Mais Jupiter, dis-moi, de quoi ton frère Neptune est-il coupable ? Si tu ne tiens pas compte du destin de la mer, ni de celui de la terre, prends au moins en pitié ton ciel. Déjà de la fumée s'échappe des deux pôles. Lorsque le feu les atteindra, vos palais brûleront. Atlas lui-même n'en peut plus, ses épaules plient sous le poids d'un monde incandescent. Une fois la mer, la terre, les cieux disparus, nous tomberons, comme autrefois, dans la confusion du chaos. Ô Jupiter, arrache aux flammes ce qui reste, sauve l'univers ! »

La Terre n'en dit pas davantage, incapable de supporter plus longtemps la chaleur du brasier. Elle plonge la tête dans sa poitrine.

Jupiter, le père tout-puissant, prend à témoin les dieux, tous les dieux, même le Soleil, que l'univers est en danger, qu'il doit agir pour le sauver. Il gagne le sommet du ciel, brandit sa foudre et la lance sur

Phaéton, lui faisant perdre à la fois l'équilibre et la vie. Puis il arrête l'incendie.

Les chevaux tombent, tentent de se redresser, s'arrachent au joug, s'échappent. Dans l'espace roulent et s'éparpillent rênes, débris du char, rayons des roues brisées, tandis que Phaéton, la chevelure en flammes, dans sa chute traverse toute l'étendue du ciel, en laissant au passage une trace lumineuse, comme le font certaines étoiles.

C'est l'Éridan, un fleuve d'Italie, qui le recueille, loin de sa patrie. Les nymphes des eaux baignent son corps fumant, l'ensevelissent et gravent ces vers sur son tombeau :

Ci-gît Phaéton l'audacieux,
Qui voulut traverser les cieux
Sur le char du Soleil.
Il ne sut pas le diriger :
Son mérite est d'avoir tenté
Un exploit sans pareil.

Le père de Phaéton, Phébus, se voile la face toute une journée. Il plonge dans l'obscurité le monde, seulement éclairé par les lueurs de l'incendie.

La mère de Phaéton est folle de douleur. Elle parcourt l'univers à la recherche du corps de son enfant. Enfin elle le trouve, enseveli dans un sol étranger. Elle se prosterne devant lui, elle inonde la tombe de ses larmes, elle se couche sur la pierre, comme pour la réchauffer.

Le Soleil est décoloré. Il renonce à sa splendeur, il hait la lumière : il ne répandra plus ses bienfaits sur la terre.

« J'en ai assez, dit-il, de travailler sans trêve, sans récompense, depuis le commencement du monde. Que quelqu'un d'autre conduise mon char, n'importe qui... Pourquoi pas Jupiter ? Au moins, pendant qu'il le fera, il sera bien forcé de déposer sa foudre, tout juste bonne à tuer nos enfants. Il devra affronter l'ardeur de mes chevaux de feu. Il comprendra alors qu'il ne méritait pas la mort, celui qui ne sut pas les maîtriser, Phaéton, mon enfant... »

Quand le Soleil se tait, toutes les divinités l'entourent et, d'une voix suppliante, lui demandent de rendre le jour à l'univers. Jupiter lui-même présente ses excuses, explique pour quelles raisons il a agi et, en souverain absolu, joint à ses explications des menaces.

Phébus finit par accepter d'éclairer à nouveau le monde. Il rassemble alors ses chevaux dispersés, encore tremblants d'épouvante, et il les frappe du fouet et de l'aiguillon, pour les punir d'avoir causé la mort de leur maître.

Pendant ce temps, Jupiter, dans le ciel, inspecte la muraille immense qui entoure le domaine des dieux. Quand il a constaté qu'elle a bien résisté, qu'elle est toujours en bon état, il jette son regard sur la terre et déplore le malheur des hommes.

Alors il rétablit le cours des fleuves qui n'osaient plus couler, rend leur eau aux fontaines, leur gazon aux prairies et leur feuillage aux arbres.

Et les forêts aux troncs noircis se mettent à reverdir.

(livres I et II)

4. Narcisse au bord de l'eau

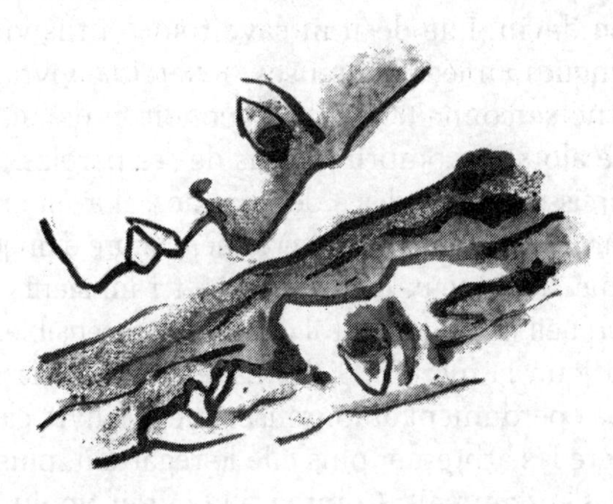

L'histoire de Narcisse se déroule dans un cadre de verdure et de fraîcheur : nous sommes dans un pays méditerranéen, où règnent la sécheresse et la chaleur, où l'eau et l'ombre sont précieuses. Nous pouvons remarquer, en lisant les autres extraits d'Ovide, qu'il insiste sur ce point dans plusieurs de ses descriptions.

Au cours des siècles, cette histoire de Narcisse, à la fois poétique et tragique, trouvera des échos chez de nombreux écrivains ; en particulier, le thème du miroir et du double sera exploité dans bien des contes fantastiques ; d'autre part, la fixation excessive à soi-même désignera un trait de caractère, parfois maladif : le narcissisme.

Quand Liriopé, la nymphe aux cheveux couleur d'eau, mit son enfant au monde, elle le trouva si beau qu'elle alla aussitôt consulter un devin. Elle désirait savoir si son fils vivrait de longues années heureuses. « Narcisse vivra tant qu'il ne se connaîtra pas », répondit le devin. Personne alors ne comprit le sens de ses paroles.

Narcisse atteignit l'âge de seize ans. Il avait encore le charme de l'enfance et déjà la fière allure d'un jeune homme. Tous ceux qui le voyaient l'aimaient. Mais son orgueil était grand et il demeurait insensible.

Un jour, la nymphe Écho l'aperçut à la chasse et tomba éperdument amoureuse. Elle le suivit, cachée derrière les arbres, et plus elle le regardait, plus son cœur s'enflammait. Comme elle aurait voulu pouvoir s'adresser à lui, lui parler d'une voix caressante ! Mais parce qu'elle avait été complice de ses sœurs, les nymphes qui folâtraient en compagnie de Jupiter, Écho s'était attiré la haine de Junon. La déesse l'avait condamnée à n'ouvrir la bouche que pour répéter les paroles qu'elle venait d'entendre.

Narcisse, ce jour-là, s'inquiétait : ses fidèles compagnons de chasse l'avaient laissé seul.

« Y a-t-il ici quelqu'un ? dit-il.

— Si, quelqu'un », répondit Écho.

Étonné, Narcisse se retourna.

« Viens ! cria-t-il de toutes ses forces.

— Viens ! cria la nymphe à son tour.

— Pourquoi me fuis-tu ? poursuivit-il en regardant de tous côtés.

— Me fuis-tu ? reprit Écho.

— Viens donc. Réunissons-nous, continua Narcisse.

— Unissons-nous ! » dit la nymphe, heureuse de pouvoir enfin exprimer ses sentiments, et elle sortit de sa cachette et s'avança vers le jeune homme, prête à lui jeter ses bras autour du cou.

« Arrête ! s'écria Narcisse. Ne me touche pas ! Que la mort me prenne avant que je m'abandonne à toi ! »

Sur ces mots, il s'enfuit.

« Je m'abandonne à toi », murmura tristement la nymphe en écho et elle retourna dans les bois.

Depuis, elle vit solitaire, retirée dans des grottes, le visage dissimulé sous le feuillage, dédaignée, honteuse, et pourtant toujours amoureuse. Le chagrin a rongé son corps, qui s'est dissous. Ne lui restent plus que les os, devenus des rochers, et la voix toujours vivante, que les promeneurs entendent, quand ils parlent, dans la forêt.

Écho n'était pas la seule à souffrir des manières orgueilleuses du jeune homme. Tant de jeunes femmes étaient victimes de son dédain que Némésis, la déesse de la justice impitoyable, décida de les venger et de punir Narcisse.

Il y avait dans la montagne une source aux eaux si calmes et si limpides que sa surface luisait comme une plaque d'argent. Jamais les bergers n'y avaient conduit leurs troupeaux, jamais même elle n'avait été effleurée par l'aile d'un oiseau, le mufle d'une bête sauvage, une simple branche couverte de feuillage. Ses bords étaient tapissés de gazon et la forêt les protégeait de l'ardeur du soleil. Ce fut au bord de cette source qu'un jour Narcisse s'arrêta.

Fatigué par la chasse, accablé par la chaleur, il se laissa tomber sur la rive et se mit à boire. S'il étancha sa soif, ce jour-là, il devait bientôt connaître, pour son malheur, une autre soif, une soif inextinguible, que rien, jamais, ne devait apaiser.

Ayant bu tout son saoul, Narcisse regarda l'eau. Il vit un corps charmant, deux yeux brillants, des joues lisses, un cou d'ivoire, un teint de rose et de neige. Comme cet être était beau ! Aussi beau qu'une statue de marbre ! Il l'admirait, il l'aimait, il l'aimait passionnément... sans comprendre que cet être, c'était son propre reflet.

Couché sur la rive, il lui donnait des baisers, il plongeait ses bras dans l'eau pour l'enlacer. Pauvre Narcisse ! Fol enfant ! Pourquoi t'entêter à saisir une image ? Si seulement tu t'éloignais de quelques pas, l'image s'éloignerait, elle aussi. Mais tu n'en es pas capable !

Rien, ni la faim ni le sommeil, ne parvint à arracher Narcisse à sa fascination. Pendant des jours et des jours, étendu de tout son long, il ne pouvait détourner les yeux du miroir liquide, et ces yeux causaient sa perte.

Enfin il se souleva légèrement et s'adressa aux arbres.

« Ô forêts, vous qui êtes, depuis tant de siècles, le refuge des amoureux, avez-vous connu parmi eux quelqu'un qui ait souffert plus que moi ? J'aime, je vois celui que j'aime et je ne peux pas l'atteindre. Et ce qui nous sépare, ce n'est pas l'immensité de la mer, ce ne sont ni des routes, ni des montagnes, ni des murailles... Non, c'est une mince couche d'eau !

Pourtant, j'en suis sûr, celui que je vois devant moi m'aime, lui aussi. Chaque fois que je veux l'embrasser, il avance les lèvres... Qui que tu sois, enfant chéri, viens, sors de là... Pourquoi te moques-tu de moi ? Je ne suis pas d'un âge, ni d'un air, à faire fuir ceux qui me recherchent. Sais-tu que bien des nymphes m'ont poursuivi de leurs avances ?

Mais je vois l'espoir poindre sur ton visage. Je te tends les bras, tu me les tends aussi. Je souris, tu souris. J'ai même vu couler tes larmes quand je pleurais... Je te parle et tu parles, je le devine aux mouvements de ta bouche, bien que je n'entende pas tes paroles...

Ah ! mais j'ai compris ! Tu n'es rien d'autre que moi-même ! Ma propre image... Je ne m'y tromperai plus. C'est pour moi que j'éprouve de l'amour, c'est moi qui suis la cause de ma souffrance, c'est moi qui souffre... Que faut-il que je fasse ? Ce que je désire si fort, je l'ai en moi... Si seulement je pouvais me séparer de mon corps... Quel souhait bizarre ! Vouloir être séparé de celui qu'on aime !...

Mais je n'ai plus de force. Je souffre trop. Je n'ai plus beaucoup de temps à vivre. Je vais mourir en pleine jeunesse. Tant mieux ! Si je meurs, je ne souffrirai plus.

Pourtant pour lui... celui que j'aime... j'aurais souhaité une vie plus longue. Lui et moi... tous les deux... nous pousserons... notre dernier soupir... ensemble. »

Narcisse pleurait en retournant à sa contemplation. Il pleurait tellement que ses larmes troublèrent la surface de l'eau et brouillèrent son image.

« Où vas-tu ?... Reste, ne m'abandonne pas, méchant, moi qui t'aime tant ! Ce que je ne peux pas toucher, laisse-moi au moins le regarder ! Et tant pis si cela redouble ma folie... ma tristesse ! »

Narcisse gémissait. Il déchira le haut de sa tunique, se frappa la poitrine, marbrant sa peau blanche de meurtrissures roses. Comme l'eau était redevenue calme, il voulut encore se regarder. C'était plus qu'il n'en pouvait supporter. N'ayant ni dormi, ni bu, ni mangé depuis tant de jours, il avait perdu ses forces, sa grâce, et la mort était proche. Épuisé, amaigri, le teint blafard, il gisait. Que restait-il de la beauté de ce corps jadis tant aimé par Écho ?

La nymphe n'avait pas oublié sa rancœur. Pourtant, en voyant le jeune homme dans un tel état, elle éprouva de la peine. Elle fit écho à ses gémissements, aux faibles coups qu'il se donnait encore. Quand, pour la dernière fois, il plongea ses yeux dans l'eau familière et murmura : « Enfant chéri... hélas... toi que j'ai aimé... vainement ! » elle répéta fidèlement ses paroles.

« Adieu », soupira-t-il.

« Adieu », soupira-t-elle.

Narcisse laissa aller sa tête lasse sur l'herbe verte. Enfin la nuit ferma ses yeux, ces yeux qu'il avait tant aimés.

Même quand il se trouva dans le séjour des Morts, il continua à se regarder dans l'eau du Styx, le fleuve infernal.

Narcisse fut pleuré par les nymphes des sources et des arbres. Écho reprenait leurs plaintes.

Elles déposèrent leurs cheveux coupés sur sa tombe et commencèrent les préparatifs du deuil. Elles dressèrent le bûcher, secouèrent les torches, préparèrent la civière sur laquelle déposer le corps.

Mais le corps avait disparu. À sa place avait poussé une fleur, jaune, couleur de safran, d'où rayonnent des pétales blancs.

Un narcisse.

(livre III)

5. Bacchus,
un dieu pas comme les autres

❦

Voici un dieu à la fois grec et oriental, dont le culte revêt un aspect joyeux, mais quelque peu étrange. Enfant d'une mortelle et de Jupiter, Bacchus n'est pas, comme Hercule ou comme Persée, eux aussi fils du maître de l'univers, un homme doué de pouvoirs extraordinaires, un demi-dieu ; Bacchus est un dieu à part entière, car il est « sorti de la cuisse de Jupiter ». Malheur à ceux qui ne reconnaissent pas son caractère divin ! Il voyage à travers l'Asie et l'Europe, apprenant aux hommes à cultiver la vigne et à en tirer du vin. Satyres et Bacchantes le suivent, pleins d'allégresse, mais si, dans leur ivresse, ils se

livrent à leurs mauvais instincts, le dieu n'hésite pas à les punir.

Sémélé était une belle mortelle, qui vivait dans la ville de Thèbes, en Grèce. C'était une lointaine descendante d'Io, la nymphe aimée de Jupiter, et elle fut, comme celle-ci, courtisée par le roi des dieux. Elle promenait avec fierté son ventre rond, car elle attendait de lui un enfant. Naturellement Junon, l'épouse de Jupiter, s'en aperçut. Comme elle poursuivait de sa haine toute la descendance d'Io, elle résolut de se venger de Sémélé.

Junon prit les traits de la nourrice de Sémélé, une vieille femme, et s'en alla rendre visite à cette dernière. Dans la conversation, elle glissa adroitement des allusions à l'hypocrisie des hommes :

« Ils se font souvent passer pour ce qu'ils ne sont pas, surtout quand ils veulent conquérir une femme. Tu penses être aimée de Jupiter... Tu n'as peut-être affaire qu'à un amoureux vulgaire ! Pour en avoir le cœur net, puisqu'il prétend être le roi des dieux, demande-lui donc de t'apparaître dans toute sa gloire, avec tonnerre, foudre et éclairs, tel qu'il se présente devant Junon, son épouse légitime... Tu verras bien ce qu'il fera ! »

La naïve Sémélé suivit le conseil de la vieille et pria Jupiter de lui accorder une faveur, sans préciser laquelle. Le maître de l'univers s'y engagea solennellement, si bien qu'il ne put se dédire lorsqu'elle lui expliqua ce qu'elle voulait.

Jupiter savait quel danger il allait faire courir à Sémélé. Plein de tristesse, il monta en haut du ciel, prépara ses nuages, ses éclairs, son tonnerre et sa foudre – une foudre de second ordre, moins terrible que celle dont il se servait d'ordinaire. Pourtant c'en était encore trop pour une simple mortelle. Sémélé mourut, foudroyée par celui qui l'aimait.

Mais l'enfant qu'elle portait fut sauvé. Arraché du sein de sa mère, à peine formé, il fut cousu dans la cuisse de son père et y demeura le temps nécessaire, jusqu'à sa naissance. C'est du moins ce que prétend la légende.

Cet enfant, c'était Bacchus.

Le nourrisson fut élevé, en grand secret, par des nymphes, qui le cachèrent au fond de leurs grottes et le nourrirent de lait, bien loin de là, à Nysa, dans les Indes. Ensuite, pour compléter son éducation, il fut confié à Silène, un joyeux vieillard, chauve, petit et rond, toujours pris de boisson et pourtant réputé pour ses connaissances et pour sa sagesse.

Or Bacchus, ayant quitté les Indes et traversé l'Asie, revenait en Grèce. Il approchait de Thèbes, la ville natale de sa mère Sémélé. Sur son chemin, il répandait la joie en apprenant aux hommes comment tirer du vin des fruits de la vigne.

Le dieu avançait, le visage couronné de grappes, rayonnant de jeunesse, dans son char tiré par des tigres et des lynx. Silène l'accompagnait, assis de travers sur le dos voûté de son âne. Le cortège des Satyres et des Bacchantes le suivait, au rythme des cymbales et des tambourins, au son mélodieux de la flûte phrygienne à double tuyau.

Servantes et maîtresses laissaient là leur ouvrage dès qu'elles entendaient Bacchus approcher. Elles se précipitaient pour le rejoindre. Vêtues de peaux de bête, les cheveux dénoués, elles agitaient le thyrse, un bâton autour duquel s'enroulent le lierre et la vigne et que surmonte une pomme de pin – l'attribut du dieu.

En son honneur, elles chantaient :

« Salut à toi, Bacchus, le deux fois né, le fils du feu, le magicien, le maître étincelant de nos nuits et du vin ! Dieu de la vigne, réjouis-nous ! Enfant de Sémélé, sois-nous favorable ! »

Elles l'imploraient avec ferveur et brûlaient pour lui de l'encens, sachant que la colère du dieu pouvait être terrible envers ceux qui refusaient de l'honorer.

Dans la ville de Thèbes, tous accouraient pour se joindre au joyeux cortège, les femmes, les hommes, les jeunes, les vieux, les pauvres, les riches. Tous voulaient célébrer Bacchus. Aux battements des tambourins et des cymbales, au chant de la double flûte répondaient les clameurs de la foule.

Seul Penthée, le roi de Thèbes, refusait de participer à l'enthousiasme général.

« Comment, disait-il aux Thébains, pouvez-vous suivre une espèce de magicien qui se prétend fils de Jupiter ? Des femmes qui vocifèrent, un troupeau de gens ivres, le son creux des tambourins, et vous voilà en train de perdre la tête ? Je comprendrais que les murs de la ville tombent sous les coups de guerriers véritables... Mais non ! Aujourd'hui Thèbes se rendra à un enfant, qui n'a pour armes que la myrrhe dont il parfume sa chevelure, les couronnes qu'il pose sur sa tête, les fils d'or et de pourpre dont sont tissés ses vêtements !... Quittez-le et j'irai le trouver, moi, et lui faire avouer son imposture. Un faux dieu, un étranger ne me fait pas peur ! Holà ! mes serviteurs ! Allez me chercher ce chef de bande et ramenez-le-moi chargé de chaînes ! »

Les serviteurs revinrent au bout d'un moment, couverts de sang, avec un homme dont les mains étaient liées derrière le dos.

« Nous n'avons pas trouvé Bacchus, dirent-ils, alors nous avons pris celui-ci, un de ses compagnons, qui célèbre son culte. »

Penthée regarda l'homme promis à la torture. Dans sa fureur, le roi avait du mal à retarder le supplice.

« Tu vas mourir, annonça-t-il au prisonnier. Que ta mort serve de leçon aux autres ! Mais d'abord dis-moi d'où tu viens et pourquoi tu célèbres ce culte nouveau. »

L'étranger, sans se troubler, fit alors ce récit :

« Je me nomme Acétès. Je viens de Lydie, en Asie. Mon père était un pauvre pêcheur qui m'a enseigné son métier. Quand il est mort, il m'a laissé pour héritage l'eau dans laquelle nagent les poissons. Pour ne pas rester toute ma vie accroché à mon rocher, j'ai appris l'art de la navigation. Je sais conduire un bateau, en consultant les étoiles, en étudiant la direction des vents et la position des ports favorables aux navires.

Un jour, je me dirigeais vers Délos, l'une des îles grecques. Faisant escale à Chios, j'aborde, je saute sur le sable humide. J'envoie mes marins chercher de l'eau douce. Le jour naissait, l'aurore teintait le ciel de rose. Je monte sur une hauteur pour observer ce que me réserve la brise au large, puis je retourne au bateau. J'aperçois alors Opheltès, le premier de mes compagnons, qui marche le long du rivage. Il amène avec lui, telle une prise de guerre, un enfant.

L'enfant est beau comme une fille. Il titube, il a du mal à suivre le marin. Il semble alourdi par le sommeil, ou par le vin. Dès que je le vois, que je vois son allure, ses habits, son visage, je comprends qu'il ne s'agit pas d'un mortel et je le dis aux matelots.

“Un dieu l'habite... Je ne sais pas lequel... Qui que tu sois, aide-nous, sois bon envers nous et pardonne à ceux qui t'ont pris !”

“Nous, demander pardon à un enfant ! Pourquoi parles-tu à notre place ?” grogne l'un des marins, le plus agile, celui qui grimpe en haut des mâts, pour se laisser glisser jusqu'en bas le long des cordages. Le guetteur de proue lui donne raison, puis celui dont la voix indique la cadence aux rameurs, puis tous les autres. Ils sont tous aveuglés par l'amour de l'argent, car ils espèrent vendre l'enfant et tirer de lui un bon prix.

Je me dresse devant eux pour les empêcher d'embarquer.

“Non, leur dis-je, je ne supporterai pas qu'on commette un sacrilège en chargeant ce bateau d'un fardeau sacré. Ici, c'est moi qui commande !”

Alors Lycabas devient furieux, Lycabas, un misérable chassé de son pays à cause d'un meurtre abominable. Il me donne un coup de poing qui me coupe la respiration et m'aurait envoyé à l'eau, si je ne m'étais pas cramponné au cordage. La troupe l'applaudit. À ce moment Bacchus – car c'était bien Bacchus – semble sortir de sa torpeur.

“Que faites-vous ? Quels sont ces cris ? demande-t-il. Pourquoi suis-je ici ? Où m'emmenez-vous ?

— Ne crains rien, répond un marin. Dis-nous dans quel port tu veux aller. Nous t'y débarquerons.

— Emmenez-moi à Naxos. C'est là que se trouve ma demeure. Vous y serez bien reçus."

Les matelots jurent par la mer et par les dieux qu'ils le feront et me disent de mettre à la voile.

Naxos était à droite. Je me prépare à virer vers la droite.

"Tu n'es pas fou ? me chuchote Opheltès à l'oreille. Va à gauche." Les autres m'en disent autant.

"Non, non, crié-je, je ne serai pas complice d'un crime !"

Et j'abandonne le gouvernail. Tous murmurent contre moi et l'un d'eux prend ma place. Nous nous éloignons de Naxos pour aller dans la direction opposée.

Bacchus s'en aperçoit, fait semblant de pleurer, se plaint :

"Ce n'est pas ce que vous m'aviez promis. Matelots, pourquoi me traitez-vous ainsi ? Parce que vous êtes nombreux et que je suis seul ? Quel beau mérite pour de jeunes hommes que de tromper un enfant !"

Je me mets à pleurer aussi. L'équipage se moque et rit et, pour avancer plus vite, pousse fort sur les rames.

Alors à ce moment... Mon récit devient incroyable et pourtant tout est vrai. J'en prends à témoin le dieu ici présent...

(Et Acétès se désigna en se frappant la poitrine, avant de poursuivre :)

... Le bateau cesse d'avancer. On le croirait à sec dans un chantier. Les matelots, surpris, poussent de plus belle sur les rames, en même temps déploient les voiles. Peine perdue ! Voici que les tiges du lierre entourent les rames, grimpent et montent jusqu'aux voiles, laissant pendre leurs fruits lourds, tandis que le dieu, le front orné de pampres et de grappes, brandit sa lance où s'enroulent les vrilles de là vigne. À ses pieds sont couchés des tigres, des lynx, des panthères tachetées – images à l'aspect féroce.

Les marins, épouvantés, bondissent de leurs bancs. Le premier, Médon, devient noir et son dos se courbe. "Quel monstre tu es !" s'écrie Lycabas, et pendant qu'il parle, sa bouche s'élargit, ses narines s'évasent, sa peau se durcit, se couvre d'écailles. Libys, en essayant de retourner une rame, voit rétrécir ses mains : ce ne sont plus des mains, mais des nageoires. Son camarade, en s'acharnant sur un cordage enlacé par le lierre, perd ses bras et, d'un bond en arrière, saute à la mer. Il agite sa queue en forme de faucille.

Les voici tous les vingt dans l'eau, les marins devenus dauphins. Ils sautent, ils font jaillir les gouttes, ils plongent sous les flots, ils jouent, ils bondissent en jouant, comme feraient les danseurs dans un ballet, ils soufflent par leurs larges narines l'eau qu'ils ont aspirée.

Et moi, de tout l'équipage, je reste le seul homme, glacé de terreur. Mais le dieu me rassure et m'ordonne de me diriger vers Naxos.

Quand je suis arrivé dans l'île, j'ai pris part aux mystères de Bacchus et c'est ainsi que je suis devenu un adepte de son culte. »

Acétès se tut.

« J'ai écouté avec patience ton interminable récit, dit Penthée. Cela m'a quelque peu permis de calmer ma colère. Serviteurs ! Emmenez cet homme, torturez-le et plongez-le dans les eaux du Styx, le sombre fleuve des Enfers ! »

Acétès, chargé de chaînes, fut enfermé dans un cachot aux murs épais. Mais tandis qu'on préparait les instruments de son supplice, d'elles-mêmes les chaînes tombèrent, les portes de la prison s'ouvrirent, comme par un tour de magie.

Il était libre, Acétès, car Acétès, c'était Bacchus, le dieu nouveau !

(livres III et IV)

6. Les aventures de Persée

La vie entière de Persée est merveilleuse. N'est-il pas né d'une mortelle, Danaé, et de Jupiter, qui a pris, pour conquérir la jeune fille prisonnière dans une tour, la forme d'une pluie d'or ? La mère et l'enfant sont ensuite enfermés dans un coffre, jetés à la mer, puis recueillis par le roi de l'île où ils ont échoué. Mais quand Persée est devenu un hardi jeune homme, le roi essaie de se débarrasser de lui et lui demande d'aller chercher la tête de Méduse. Ce monstre dangereux transforme en pierre tous ceux qui croisent son regard.

Heureusement Jupiter veille : il envoie ses enfants, Mercure et Minerve, aider leur frère Persée. Mercure lui donne une arme, la harpé, Minerve son bouclier et les nymphes du Styx des sandales ailées. Persée réussit à décapiter Méduse et à s'emparer de sa tête. Il possède alors, lui aussi, le pouvoir de métamorphoser en statues ses ennemis.

Persée fendait l'air avec un léger bruissement, grâce aux ailes attachées à ses sandales. Il portait au côté la harpé, une courte épée à lame courbe munie d'un crochet. Avec elle, il venait de trancher la tête de Méduse, l'une des Gorgones, aux cheveux de serpents, au pouvoir terrifiant, puisqu'elle transformait en pierre tous ceux qui la regardaient.

Persée volait, tenant en main la tête épouvantable. Du sang en dégouttait, qui tomba sur le sable de la Libye et se métamorphosa en serpents. Voici pourquoi le sol de ce pays est infesté de reptiles.

Persée volait au gré des vents qui le poussaient, d'un côté, de l'autre, parcourant le cercle entier de la terre qu'il voyait au-dessous de lui. Trois fois, il avait flotté près du nord glacé, trois fois près de la constellation du Cancer ; il avait été souvent déporté vers l'ouest, puis vers l'est ; et voici que la nuit approchait. Il se méfiait de l'obscurité. Il décida de s'arrêter en Hespérie, à l'extrémité occidentale des terres connues. C'était le royaume d'Atlas.

Atlas était un géant, Titan fils d'un Titan. Il régnait sur ce pays du bout du monde et sur l'Océan qui accueille, tous les soirs, après leur course dans le ciel, les chevaux du Soleil, épuisés et haletants. Ce géant possédait des troupeaux immenses et un verger aux arbres d'or.

« Bonsoir, étranger ! lui dit Persée en le saluant. Si tu aimes les hommes de haute naissance, sache que je suis le fils de Jupiter. Si tu apprécies le courage, tu pourras admirer mes exploits. Je te demande l'hospitalité. »

Atlas redoutait les visiteurs, car un oracle lui avait prédit qu'un fils de Jupiter viendrait lui voler ses fruits d'or. Aussi son verger était-il protégé par un mur solide et par un dragon qui en gardait l'entrée.

« Va-t'en ! répondit le Titan au voyageur. Sinon il t'arrivera malheur. Ni tes prétendus exploits ni ton soi-disant père ne te serviront à grand-chose ! »

En même temps qu'il proférait ces mots, Atlas bousculait le jeune homme, qui résistait comme il pouvait – mais peut-on lutter contre Atlas ?

« Eh bien, dit Persée, puisque tu repousses mon amitié, je t'offre ce présent ! » Et en se détournant, habilement, il tendit au géant la tête de Méduse.

Aussitôt Atlas, du haut jusqu'en bas, fut transformé en montagne. Ses cheveux devinrent forêts, ses épaules crêtes, sa tête cime, ses os rochers. Il s'allongea démesurément, et sur lui reposait le vaste ciel, avec toutes ses étoiles.

Mais déjà le dieu Éole avait enfermé les vents et Lucifer, l'étoile du matin, avait renvoyé les hommes au travail. Persée remit ses ailes, attacha son épée recourbée et s'en alla.

Après avoir survolé de nombreuses contrées, il arriva en Éthiopie, le pays du roi Cépheus. Un spectacle étonnant l'attendait. Comme il longeait la côte, il vit, au bord de la mer, attachée à un rocher, pendue par les bras, une jeune fille si belle qu'il en fut ébloui. Le cœur plein d'un sentiment nouveau, il en oublia presque de battre des ailes.

Il s'approcha d'elle : si la brise n'avait agité ses cheveux, si des larmes n'étaient tombées de ses yeux, il l'aurait prise pour une statue de marbre. Il se posa à ses côtés.

« Jeune fille, toi qui n'es pas faite pour des liens de fer, mais pour des liens d'amour, réponds-moi, je t'en prie... Quel est le nom de ce pays ? Quel est ton nom ? Pourquoi es-tu enchaînée ? »

D'abord, elle demeura muette, n'osant pas adresser la parole à un homme. Elle aurait voulu cacher son visage entre ses mains ; tout ce qu'elle pouvait faire, c'était de laisser couler ses larmes.

Persée insistait, la pressait de questions. De peur qu'il ne la crût coupable de quelque faute, elle finit par lui parler. Elle était la fille du roi Cépheus, se nommait Andromède, et si elle était promise à une mort certaine, c'était parce que sa mère s'était vantée de sa propre beauté auprès des Néréides, filles de Neptune. Celles-ci s'étaient vexées et le roi de la mer, pour venger ses filles, envoyait l'une de ses créatures horribles pour la dévorer, elle, malheureuse princesse.

Elle n'avait pas plus tôt terminé son récit qu'un bruit effroyable se fit entendre. Une bête monstrueuse s'approchait, dressant haut la tête et le poitrail au-dessus des flots.

Andromède crie, ses parents s'agitent en vain près d'elle et se lamentent. Persée leur dit :

« Vous pourrez pleurer votre fille plus tard. À présent le temps presse. Si je la demande en mariage, moi, Persée, fils de Jupiter, moi qui ai vaincu la Gorgone et osé traverser les airs, je suis sûr que vous m'accepterez pour gendre, de préférence à un autre. Avec l'aide des dieux, je vais tenter de la sauver. Mais je veux l'épouser ensuite. »

Les parents acceptent toutes les conditions du jeune homme et lui promettent, en plus, un royaume en guise de dot.

Le monstre, cependant, avance en écartant les flots de son poitrail, comme un puissant navire dont la proue fend l'eau à force de rames. Il n'est plus qu'à une courte distance du rocher où se trouve Andromède. Persée, alors, repoussant la terre du talon, rebondit, monte droit dans les airs. Son ombre se projette à la surface de l'eau. Le monstre, furieux, se précipite sur l'ombre, croyant saisir l'homme. Vite, Persée se laisse tomber sur le dos de la bête et lui enfonce, jusqu'à la garde, son épée, au défaut de l'épaule. L'animal est blessé.

Il se dresse hors de l'eau, il plonge dans la mer, se tourne, se retourne, ouvre la gueule pour attraper le jeune homme, qui lui échappe d'un coup d'aile et qui, ensuite, redescend, frappant de son épée tranchante comme une faux, à coups redoublés, partout où le monstre se découvre, frappant le dos couvert de coquillages, frappant les flancs, frappant la queue aussi mince que celle d'un poisson.

La bête vomit de l'eau mêlée de sang, dans de grands bouillonnements. Les ailes de Persée sont mouillées. N'osant plus se fier à ses sandales, alourdies par les éclaboussures, il repère un rocher dont le sommet émerge de l'eau, non loin de là. Il prend appui sur lui, s'y agrippe de la main gauche et, de la droite, enfonce à quatre reprises son épée dans les flancs de la bête, enfin blessée à mort.

Sur le rivage, des applaudissements éclatent. Une clameur s'élève, qui monte dans le ciel jusqu'aux demeures des dieux. Andromède, libérée, s'avance. Ses parents, pleins de joie, reçoivent Persée comme leur gendre et déclarent qu'ils lui doivent leur salut et celui du royaume.

Le jeune héros lave ses mains ensanglantées. Auparavant, il pose sur le sol la tête de Méduse, face contre terre, et pour qu'elle ne soit pas endommagée, il l'étend sur un lit d'algues. Au contact de la Gorgone, les algues durcissent, leurs tiges, leurs feuilles deviennent rigides et se transforment en corail.

Persée dresse trois autels et immole trois bêtes aux trois dieux qui l'ont protégé, à Jupiter, son père, à son frère Mercure et à sa sœur Minerve. Ensuite, sans plus attendre, sans même réclamer la dot promise, il entraîne Andromède pour l'épouser.

Les divinités de l'Amour et du Mariage agitent devant eux les torches nuptiales. On répand des parfums, on accroche aux murs des guirlandes ; la lyre, la flûte, des chants joyeux résonnent. Les portes du palais royal s'ouvrent et dans l'atrium, la grande salle magnifiquement décorée, un banquet est servi.

Tous les grands de la cour de Cépheus sont là, étendus sur des lits, près des tables dressées. Dans un angle se trouve un autel, dédié aux Pénates, les dieux du foyer ; devant lui brûle un grand feu. Tout autour de la salle, des colonnes de marbre soutiennent le toit.

Des serviteurs mélangent le vin et l'eau dans d'énormes cratères de bronze ouvragé. On mange, on boit, on cause, on est réjoui. À la fin du repas, au moment où les cœurs s'abandonnent, sous l'influence de la boisson, ce présent de Bacchus,

Persée pose aux convives des questions sur leur pays et sur ses habitants. Puis, à son tour, il explique comment il s'est emparé de la tête de Méduse, grâce à sa ruse, à son courage, avec l'aide de Minerve et de Mercure. Il parle aussi de son long et dangereux voyage à travers les airs, des mers, des terres qu'il a pu découvrir et des astres que, du bout des ailes, il a frôlés.

Tandis qu'il achève son récit, une rumeur inquiétante envahit la salle. Des hommes en armes font irruption. À leur tête se trouve le frère de Cépheus, Phineus, auquel Andromède avait été promise en mariage.

Phineus tient une pique de frêne à pointe métallique. Il la brandit en s'exclamant : « Je viens me venger du rapt de celle qui devait être ma femme ! » Et s'adressant à Persée : « Ni tes ailes, ni Jupiter dont tu prétends être le fils, rien ne te permettra d'échapper à mes coups ! »

Cépheus intervient :

« Que fais-tu là, mon frère ? Est-ce ainsi que tu récompenses un bienfait ? Voilà le prix dont tu paies ce jeune homme pour avoir sauvé ma fille ? Si tu veux le savoir, apprends que ce n'est pas Persée qui l'a mise en danger, mais Neptune, ses filles, les Néréides, et le monstre marin prêt à la dévorer. Tu aurais voulu qu'elle meure ? que nous la pleurions tous ? que j'achève ma vie dans la solitude ? Qu'as-tu fait pour secourir Andromède, quand tu l'as vue enchaînée, toi, son oncle et son fiancé ? Si elle t'était si précieuse, pourquoi n'es-tu pas allé la chercher sur ce roc où elle était attachée ? Maintenant laisse celui qui y est allé recueillir le prix de sa vaillance, un prix dont nous étions convenus. Comprends donc : ce n'est pas lui que nous avons préféré à toi. Nous l'avons préféré à la mort inévitable qui attendait notre enfant. »

Phineus ne répond pas, occupé à choisir celui qu'il attaquera le premier, son frère ou Persée. Il hésite un instant, puis, de toutes ses forces, lance son javelot sur le jeune homme. Il le manque. Le javelot se plante dans le lit sur lequel se tenait Persée, appuyé sur des coussins. Furieux, il bondit hors du lit, fait voler les coussins, saisit le javelot pour en percer Phineus. Le misérable parvient à se réfugier derrière l'autel avant que la pointe acérée ne l'atteigne. Mais elle a atteint Rhœtus, l'un de ses partisans. Rhœtus tombe, arrache le fer de son crâne, bat de ses talons le sol qu'il arrose de son sang. La troupe de Phineus bouillonne de colère : « Céphéus aussi doit mourir ! crient-ils. À mort Céphéus et Persée ! » Et ils lancent sur eux une pluie de projectiles, flèches et javelots. Mais Céphéus n'est plus là. Il s'est échappé de la salle et, prenant à témoin les dieux, affirme qu'il a tout fait pour empêcher ce combat.

Minerve survient alors, la déesse guerrière, pour donner du cœur aux combattants et protéger Persée, son frère. La mêlée devient générale. Arcs, épées, javelots travaillent sans relâche. La harpé du héros, de sa lame courbe et de son crochet, fait merveille, enfonce des bustes, perfore des côtes, perce des gorges. Mais cela ne suffit pas. Une pièce de bois fumante, prise dans le foyer de l'autel, un lourd cratère, saisi par les deux anses, la barre de fer qui verrouille une porte, tout sert d'arme, tout est bon pour fracasser des poitrines et des têtes.

Persée, au centre de la mêlée, se multiplie et, sous ses pieds, grossit le tas des mourants. Mais toujours de nouveaux ennemis l'assaillent. Si ses partisans sont nombreux, ceux de Phineus le sont encore plus.

Phineus lui-même n'ose pas s'attaquer au héros. Prudent, il se tient en retrait et, de loin, lance un javelot. L'arme dévie de son but et frappe, au lieu de Persée, Idas, qui, justement, voulait se tenir loin de la bataille.

Émathion, vieillard pieux, respectueux des lois, trop âgé pour se battre, s'avance entre les combattants et maudit leur violence criminelle. Un partisan de Phineus l'entend. Il s'approche, voit le vieillard entourer vainement l'autel de ses mains tremblantes et, d'un coup d'épée, lui tranche la tête.

Le poète, loué par le roi pour chanter au banquet de noces, se tient à l'écart, pacifique, inoffensif, sa lyre à la main. Pettalus le remarque, et tout en se moquant : « Va donc chez les morts chanter au bord du Styx ! », il lui enfonce dans la tempe la pointe de son épée. Le poète tombe et, en tombant, sa main effleure encore les cordes de sa lyre pour en tirer un son plaintif.

Lycormas ne veut pas laisser ce meurtre impuni. Le coup dont il assomme Pettalus est si terrible que celui-ci s'écroule, tel un taureau qu'on immole. Pélatès veut venger Pettalus, mais Abas perce le flanc de Pélatès, et l'enchaînement des vengeances et des meurtres se poursuit, tandis qu'au fond de l'atrium Cépheus, étant revenu, fait pour son gendre des vœux inutiles, qu'Andromède et sa mère poussent des cris continus, couverts par le fracas des armes et les gémissements des blessés.

Persée, de son côté, ne relâche pas son effort et les morts s'accumulent. Pourtant il n'est pas au bout de ses peines. C'est sur lui seul que s'acharnent les assaillants. Flèches et javelots volent autour de lui, aussi serrés que des grêlons par temps d'hiver, frôlant ses flancs, ses yeux, ses oreilles. Attaqué de toutes parts, bientôt encerclé par Phineus et ses nombreux partisans, il résiste, adossé à une colonne, se tourne à droite, à gauche, blesse l'un, achève l'autre d'un coup de sa harpé. Pourtant il va succomber sous le nombre.

« Puisque vous m'y forcez, s'écrie-t-il, c'est à mon ennemie que je vais demander secours ! Détournez vos yeux, mes amis, s'il m'en reste. » Et il brandit la tête de Méduse.

« Cherche ailleurs un sot qui croie à tes tours de magie ! » dit Thescélus, s'apprêtant à lancer son arme. Mais aussitôt ses mots se figent : il reste dans cette position, devenu statue de marbre. Deux autres partisans de Phineus s'approchent, l'épée à la main, l'insulte à la bouche. Ils sont pétrifiés à leur tour, incapables d'achever leur geste, la bouche ouverte, sans qu'aucun son en sorte.

« C'est votre lâcheté qui vous paralyse, ce n'est pas la tête de la Gorgone ! gronde derrière eux Éryx. Attaquons-le ensemble, ce Persée, et nous lui ferons mordre la poussière malgré ses sortilèges ! » Il s'élance et se transforme en une figure de pierre qui, elle aussi, semble s'élancer.

Il en est de même, malheureusement, pour un soldat de Persée, dont le regard rencontre le regard de Méduse. Celui qui le poursuit le croit encore vivant et cherche à l'atteindre du bout de sa longue épée. Le fer résonne contre la pierre avec un son aigu. Le poursuivant s'étonne, et son visage figé porte la marque de la surprise.

Des deux cents hommes encore capables de se battre, il ne reste bientôt plus que deux cents statues.

Seuls demeurent Phineus et Persée.

Phineus se repent enfin d'avoir engagé une guerre injuste. Il va de l'un à l'autre de ses partisans, il les appelle par leur nom, il leur demande de l'aide. Pas de réponse. Il a du mal à se convaincre de la réalité. Il les touche : ce qu'il touche, c'est du marbre.

Alors il s'éloigne d'eux, s'approche du vainqueur et, sans oser le regarder, suppliant, il tend les bras vers lui, la tête tournée de l'autre côté.

« Tu l'emportes, Persée ! Éloigne de nous ton monstre. Je t'en supplie, enlève cette face de Méduse qui transforme tout en pierre ! Si nous t'avons combattu, ce n'est ni par haine, ni par ambition, mais c'est à cause d'une femme. Tu la méritais, car tu l'avais sauvée ; j'avais sur elle des droits antérieurs aux tiens. J'aurais mieux fait de céder. Je reconnais ta valeur. Accorde-moi la vie, le reste, je te l'abandonne.

— Phineus, lui répond Persée, toi, le plus craintif des hommes, ne crains rien. Ce que je peux t'accorder, je te l'accorde. Cesse de trembler ! Tu ne mourras pas par l'épée. Bien plus, grâce à moi, ton souvenir se perpétuera dans les siècles ! Mon épouse pourra contempler l'image de son ancien fiancé, placée pour l'éternité dans le palais de mon beau-père ! »

Tout en parlant, Persée approche la tête de Méduse du visage de Phineus. Celui-ci, terrifié, essaie en vain de détourner les yeux. Déjà sa nuque se raidit, ses larmes durcissent. À jamais sont fixés dans le marbre son regard d'épouvante, ses mains suppliantes et toute son attitude de soumission.

Alors Persée, vainqueur, franchit les murs du palais et s'élance, avec Andromède, vers de nouvelles aventures.

(livres IV et V)

7. La quête de Cérès

Pas étonnant que Cérès, la déesse de la moisson, demeure en Sicile. La Sicile n'est-elle pas « le grenier à blé » de l'Empire romain ? Pas étonnant non plus que Pluton, le roi des Ombres, retourne dans les Enfers à partir de la Sicile, île volcanique dont le sol crevassé et les vapeurs de soufre communiquent avec le monde souterrain. Quant à la charmante Proserpine, six mois dans les profondeurs de la terre, six mois à sa surface, ne symbolise-t-elle pas le cycle de la végétation, qui doit mourir et renaître, avant de s'épanouir au soleil ?

Cérès est la déesse de la moisson. La première, elle fendit le sol avec le soc d'une charrue et fit porter des fruits à la terre, pour nourrir les hommes. Elle leur donna aussi des lois. Il n'y a pas de déesse plus digne d'être célébrée.

Cérès se trouvait en Sicile, avec sa fille Proserpine, quand Pluton, le roi du monde souterrain, sortit de sa demeure sombre pour vérifier l'état des fondations de l'île. En effet, au début des temps, la Sicile avait été le théâtre du combat formidable des dieux contre les géants. L'un de ceux-ci, après la défaite de son camp, était resté enseveli sous la masse de l'île. Couché à la renverse, le géant tentait parfois de se redresser, secouait ses mains, ses jambes, prises sous les trois caps de la Sicile, à l'est, au sud et à l'ouest. Sur sa tête pesait le volcan de l'Etna et par la bouche il vomissait des flammes. Les efforts qu'il faisait pour se libérer provoquaient des tremblements de terre : villes et montagnes s'écroulaient et Pluton craignait que, par les fissures du sol, la lumière ne pénétrât jusque dans son royaume, affolant ses sujets, les Ombres, qui sont les âmes des Morts.

Le char de Pluton parcourait la Sicile, au galop de ses chevaux noirs. Vénus, la déesse de l'amour, l'aperçut, du haut de son sanctuaire niché dans la montagne.

« Comment se fait-il, dit-elle à son fils, le petit dieu Cupidon, que le maître des Ombres échappe à notre domination ? À la différence de ses frères, Jupiter et Neptune, les souverains du ciel et de la mer, si souvent amoureux, Pluton ignore la force des passions. Il serait temps que, lui aussi, il connaisse notre pouvoir. Comme le dieu des Enfers possède le tiers de l'univers, puisqu'il règne sur les Morts, notre puissance s'en trouverait accrue, à toi, mon petit dieu d'amour, à moi, Vénus, reine du monde ! Trop de divinités nous méprisent. Minerve et Diane, toutes deux hostiles au mariage, nous ont reniés et Proserpine, la fille de Cérès, souhaite les imiter. Ne nous laissons pas faire, mon fils ! Prends ton arc, ajuste ta flèche, unissons Proserpine à Pluton ! »

Cupidon obéit et frappa Pluton en plein cœur.

Il y a, au centre de la Sicile, un lac à l'eau profonde, où glissent des cygnes. La forêt l'entoure, ses talus sont couverts de fleurs. Il fait si bon sur ses bords, à l'ombre des arbres, qu'on s'y croirait toujours au printemps.

Ce jour-là, la jeune Proserpine et ses compagnes s'étaient dispersées dans la forêt. Elles cueillaient des violettes et des lis blancs, et c'était à qui en cueillerait le plus. Proserpine espérait bien gagner à ce jeu ; elle avait déjà rempli plusieurs paniers ; à présent elle amassait les fleurs dans un pan de sa robe, qu'elle avait retroussé.

À ce moment, Pluton la vit, l'aima et l'enleva, d'un seul mouvement, tant l'impatience de l'amour est grande ! La jeune fille poussa des cris désespérés, appela sa mère, ses compagnes, sa mère surtout. Et comme une enfant qu'elle était, elle se désolait aussi de la perte de ses fleurs, éparpillées sur l'herbe, sa robe s'étant déchirée.

Son ravisseur l'avait déposée sur son char et il excitait ses chevaux, les interpellait, secouait leurs rênes, pour les faire avancer plus vite. Il atteignit la côte est, près de Syracuse, bondissant dans les vapeurs de soufre et les eaux bouillonnantes des étangs et des sources qui bordaient le rivage. Là demeuraient deux nymphes, Aréthuse et Cyané.

Cyané était célèbre dans toute l'île. Elle avait élu domicile dans une baie étroite, entre deux promontoires, près de laquelle coulait sa source. Elle entendit approcher les chevaux de Pluton, surgit de l'eau, reconnut Proserpine terrifiée, et se dressant devant le char en étendant les bras : « Vous ne passerez pas ! s'écria-t-elle. Roi des Enfers, avant de te marier, tu devais d'abord demander à Cérès son consentement, plutôt que d'enlever sa fille ! »

Pluton, alors, entra en fureur, excita de plus belle ses chevaux, frappa le fond des eaux de son sceptre royal et, sous le choc, le sol s'ouvrit. Par une large crevasse, l'attelage emballé pénétra jusque dans les Enfers.

Cyané demeura immobile, blessée par la brutalité de Pluton, le rapt de Proserpine, le mépris témoigné envers sa source. Elle pleurait, inconsolable, et bientôt ses cheveux, ses doigts, ses pieds, tout son corps menu s'amenuisèrent davantage, et fondirent. Dans ses veines décomposées ne coulait plus que de l'eau.

Quant à Cérès, folle d'angoisse, elle cherchait sa fille disparue partout, à travers la terre, au fond des gouffres marins, du matin au soir, du soir au matin, et, dans la nuit glacée, poursuivait ses recherches, prenant, en guise de torches pour s'éclairer, des pins, qu'elle avait elle-même allumés aux feux de l'Etna. Quand les étoiles disparaissaient dans le jour tiède, elle cherchait encore, de l'orient à l'occident, de l'occident à l'orient, et toujours vainement.

Accablée de fatigue, assoiffée, n'ayant trouvé sur son chemin aucune source pour s'y désaltérer, elle arriva un jour devant une pauvre chaumière. Elle frappa à la porte. Une vieille femme en sortit. La déesse lui demanda à boire. La vieille lui présenta une bouillie légère faite avec de la farine d'orge grillé. Cérès se précipita sur la boisson et son avidité fit rire un enfant qui la regardait avec insolence. « Quelle goulue tu fais ! » s'écria-t-il en se moquant.

La déesse, offensée, jeta sur le gamin quelques gouttes de bouillie. Aussitôt le visage de l'enfant se constella de taches, ses bras devinrent des pattes, son corps se réduisit, une longue queue lui poussa. Il ne pouvait plus se moquer, il était devenu lézard !

La vieille, surprise et désolée, essaya de le toucher. Il s'enfuit et disparut dans une cachette.

La déesse reprit sa quête à travers les terres et les mers, jusqu'aux extrémités du monde. Puis elle regagna la Sicile, la parcourut et finit par s'approcher de la côte est, où se trouvait la source de Cyané. La nymphe aurait voulu aider Cérès, témoigner de ce qu'elle avait vu, mais, réduite à un filet d'eau, elle ne pouvait plus parler. Heureusement elle disposait d'un indice : la ceinture que Proserpine avait fait tomber, avant de disparaître dans le gouffre. Cyané la laissa flotter à la surface de la source.

Cérès reconnut la ceinture de sa fille. Elle comprit que Proserpine avait été enlevée.

Dans sa douleur elle se frappait la poitrine, s'arrachait les cheveux, maudissait la terre entière, ingrate, indigne de porter des moissons, et surtout la terre de Sicile, qui avait permis que sa fille disparût. Et dans sa colère, accordant ses actes à ses paroles, elle se mit à briser les charrues, à tuer les bœufs avec les laboureurs ; elle ordonna aux sillons de se dessécher, aux semences de pourrir. Les oiseaux se précipitèrent sur les grains ; les tiges, à peine sorties de terre, se flétrirent, sous l'excès de la pluie ou du soleil ; les mauvaises herbes étouffèrent les plants qui avaient résisté et bientôt la Sicile perdit sa réputation de fertilité, pourtant si grande dans le monde entier.

La nymphe Aréthuse décida alors d'intervenir. Elle se dressa hors de sa source, devant la déesse, rejetant derrière ses oreilles ses cheveux ruisselants.

« Ô Mère, toi qui as cherché vainement ta fille dans tout l'univers, Mère des moissons, Nourricière des hommes, ne t'emporte pas contre la terre de Sicile : elle t'est toujours fidèle. Elle n'a pas mérité de subir ta colère. C'est parce qu'on l'a forcée qu'elle s'est ouverte pour laisser passer Proserpine. La Sicile n'est pas ma patrie, mais elle m'a recueillie et je l'aime. Je viens de loin. Je suis passée sous la mer, par des voies souterraines, pour arriver jusqu'ici. Et en traversant la région du Styx, j'ai vu ta fille sur le trône de Pluton. À vrai dire, encore triste, encore craintive, mais souveraine toute-puissante aux côtés du roi des Enfers. »

En entendant ces paroles, Cérès demeura muette, comme frappée par la foudre. Quand elle sortit de sa stupéfaction, elle se précipita, dans son char attelé de dragons, en haut du ciel, jusqu'au palais de Jupiter. Là, debout devant lui, elle se répandit en plaintes et en insultes.

« Après de longues recherches, j'ai retrouvé ma fille – je l'ai retrouvée pour apprendre que je l'avais perdue... Qu'elle ait été enlevée, je pourrai peut-être l'admettre... si le ravisseur me la rend. Car elle ne mérite pas d'avoir pour mari un brigand ! »

Jupiter essaya de calmer la déesse.

« Si le dieu des Morts a enlevé ta fille, ce n'est pas pour lui faire outrage, c'est parce qu'il l'aime. Après tout, Pluton n'est pas un gendre dont tu aies à rougir. N'est-il pas mon propre frère ? Pourtant si tu tiens à les séparer, Proserpine reviendra sur la terre. À une condition toutefois : qu'elle n'ait rien mangé là-bas. Si elle a pris chez les Ombres nourriture ou breuvage, elle ne peut retourner vivre chez les mortels. La loi qui l'interdit est formelle. »

Or Proserpine ignorait cette loi. Un jour qu'elle se promenait dans le monde souterrain, elle était entrée dans un beau jardin, entretenu avec soin. Accrochée à la branche basse d'un arbre, se trouvait une grenade. Elle l'avait cueillie, elle en avait fendu l'écorce pâle et retiré sept grains qu'elle avait portés à sa bouche. Un jeune homme qui se trouvait là l'avait vue. Il le dit, empêchant Cérès de reprendre sa fille. Pour sa peine, il fut métamorphosé en hibou, cet oiseau qui annonce les mauvaises nouvelles.

Proserpine n'avait donc pas le droit de sortir des Enfers. Mais Jupiter, en sa faveur, fit une exception. Il accepta de diviser l'année en deux parties.

Désormais la jeune déesse passe le même temps avec sa mère qu'avec son époux. Dès qu'elle monte sur la terre, sa tristesse se dissipe et son visage s'éclaire. Ainsi, après la pluie, le soleil émergeant des nuages.

Cérès la nourricière a retrouvé la paix, depuis qu'on lui a rendu sa fille. Sous sa protection, les semences enfouies dans le sol finissent par percer la terre, s'épanouissent à la lumière et forment les blonds épis, qui servent de nourriture aux hommes.

(livre V)

8. Un concours de tapisserie : Pallas et Arachné

L'une des héroïnes de ce conte est Pallas – c'est-à-dire Athéna, chez les Grecs, et Minerve, chez les Romains. Sans doute est-elle la déesse de la guerre, mais elle l'est aussi de la sagesse, des sciences et des arts, experte en particulier dans les travaux de tapisserie et de broderie. L'autre héroïne n'est pas une princesse, comme le sont la plupart des mortelles dans l'œuvre d'Ovide, mais une fille ordinaire, d'humble naissance. Bien que tout les oppose, leur habileté est la même et leurs gestes sont identiques, ceux de deux femmes qui se livrent au travail artisanal de la laine.

Il n'y avait pas, dans toute la Lydie, femme plus habile à filer et à tisser qu'Arachné. Elle était pourtant d'origine modeste. Son père teignait la laine avec le murex, ce coquillage dont on extrait la pourpre. Sa mère était morte. Arachné la Lydienne demeurait dans une petite ville, mais elle était célèbre dans toute l'Asie mineure. Les nymphes abandonnaient leurs coteaux couverts de vignes ou les rives du Pactole, aux eaux pailletées d'or, pour venir admirer son travail.

Si les nymphes appréciaient les étoffes une fois qu'elles étaient tissées, elles aimaient encore plus voir comment la jeune fille parvenait à ce résultat. Elles la regardaient façonner des pelotes à partir de la laine brute, assouplir les flocons laineux avec les doigts pour les étirer en longs brins, faire tourner du pouce le fuseau de bois poli ou encore broder à l'aiguille.

Arachné était une si bonne ouvrière qu'on reconnaissait en elle l'élève de Pallas, la déesse experte dans les arts et travaux domestiques. Mais la Lydienne ne voulait pas en convenir. Si on lui en parlait, elle se vexait et déclarait : « Puisque Pallas est ma rivale, qu'elle vienne donc se mesurer à moi... On verra bien qui gagnera ! Si je perds, je me soumettrai à n'importe quelle épreuve. »

Pallas entendit Arachné et décida d'intervenir. Elle posa sur sa chevelure blonde de faux cheveux blancs, se courba au-dessus d'un bâton et s'adressa à la jeune fille :

« Je sais, Arachné, que tu es la première des mortelles pour le travail de la laine. Mais crois-en ma vieille expérience, n'essaie pas de rivaliser avec une déesse. Au contraire, demande-lui pardon pour les propos que tu as tenus. Ce pardon, si tu l'en pries, je suis sûre qu'elle te l'accordera. »

Sans reconnaître la déesse, la Lydienne lui jeta un regard furieux et s'exclama :

« Pauvre vieille ! Tu as perdu l'esprit ! Voilà ce que c'est que de vivre trop longtemps ! Réserve tes conseils à ta fille ou à ta bru, si tu en as une... Moi, je ne prends conseil que de moi-même... Et n'imagine pas que tu puisses me faire changer d'avis. Puisque je l'appelle, pourquoi la déesse ne vient-elle pas en personne ? Craint-elle de concourir avec moi ?

— Elle vient, la voici », dit Pallas, rejetant son apparence de vieille.

Aussitôt les nymphes et les femmes qui se trouvaient là, effrayées, s'empressèrent de lui rendre hommage. Seule Arachné n'éprouva aucune peur ; elle tressaillit simplement et une rougeur subite envahit son visage, puis disparut. Et elle persista dans son projet, bien décidée à remporter la victoire dans cette compétition. Pallas, sans lui donner d'autres avertissements, se prépara à relever le défi.

Sans perdre un instant, chacune s'installe devant son métier, y tend d'abord les fils de la chaîne ; ensuite passe et repasse entre ceux-ci, à l'aide d'une navette, le fil de la trame, qu'elle serre à petits coups avec un peigne. Chacune a retroussé les manches de sa robe, en les nouant sur la poitrine. Chacune fait voler au-dessus du métier ses mains agiles et, dans son ardeur au travail, oublie sa fatigue.

Toutes deux se hâtent. Les fils qu'elles entrecroisent revêtent les couleurs de l'arc-en-ciel, des teintes douces aux tons foncés, et la pourpre comme l'or s'y mêlent. Les tableaux qu'elles dessinent illustrent des histoires du temps passé.

Pallas représente les dieux de l'Olympe, graves et majestueux, en deux groupes de six, de chaque côté de Jupiter, leur roi. Ils assistent, devant les fondations d'une grande cité (la future cité d'Athènes), au débat qui opposa jadis Pallas et Neptune, pour savoir lequel des deux dieux donnerait son nom à la ville. Chacun des deux devait faire un cadeau : celui dont le présent serait jugé le plus beau et le plus utile l'emporterait.

Sur sa tapisserie Pallas montre Neptune debout. De son trident il frappe un rocher : un cheval sauvage en jaillit, le don du dieu de la mer à la ville.

Mais Pallas a une meilleure idée, car elle offre l'olivier. C'est donc elle, Pallas-Athéna, qui donne son nom à Athènes.

La déesse s'est peinte elle-même, armée d'un casque et d'un bouclier. Du bout de sa lance elle creuse la terre. Un olivier en sort, un bel arbre au feuillage argenté, chargé de fruits. Les dieux regardent l'arbre avec admiration. Une Victoire couronne la scène.

Dans chaque angle de sa tapisserie, Pallas a figuré, en plus petit, d'autres scènes de concours, cette fois entre des dieux et des mortels. Mais elle montre que les humains sont métamorphosés et punis chaque fois qu'ils veulent rivaliser avec les immortels. Ainsi la déesse tente-t-elle encore d'avertir Arachné du sort qui l'attend, si elle persiste dans son attitude orgueilleuse.

Enfin la déesse encadre tous ces tableaux de rameaux d'olivier, emblèmes d'abondance et de paix.

Arachné, elle, dessine d'abord Europe, la jeune fille que Jupiter enlève. Le roi des dieux a pris l'apparence d'un taureau. Il a posé la femme sur son dos, il l'entraîne au-delà des mers. L'art de la Lydienne est si grand qu'on se croirait devant un taureau véritable et devant les flots de la mer. Pour un peu on entendrait les cris désespérés d'Europe appelant ses compagnes, on la verrait ramener peureusement ses pieds sous le bord de sa robe, de peur d'être éclaboussée par les vagues.

Mais Arachné ne s'en tient pas là. Elle représente encore Jupiter sous les formes diverses qu'il a empruntées pour séduire mortelles ou déesses : tantôt aigle, tantôt satyre, pluie d'or, flamme, berger ou serpent. Ensuite paraît Neptune à l'aspect changeant, tour à tour taureau, bélier, dauphin, cheval, puis Phébus, lion ou épervier, ou bien paysan ou berger, Bacchus, devenu grappe de raisin, et Saturne, devenu cheval pour donner naissance au centaure.

Une bordure légère, fleurs et branches de lierre entrelacées, met un dernier point à l'ouvrage.

Vraiment, devant une œuvre aussi parfaite, personne, pas même Pallas, ne peut trouver à redire.

Pleine de dépit, la déesse guerrière, Pallas aux blonds cheveux, se précipite sur la toile de sa rivale et déchire avec sa navette les coupables amours des dieux. Elle frappe Arachné au visage. La malheureuse n'accepte pas un tel affront. De rage, elle saisit un lacet, le noue autour de sa gorge et se pend.

Pallas, alors, se radoucit. « Ne meurs pas, dit-elle à la jeune fille. Mais reste pendue, insolente. N'attends plus rien de l'avenir. Ta race entière subira la même peine, jusqu'au plus lointain de tes descendants. »

La déesse, avant de s'éloigner, asperge la Lydienne du suc d'une herbe empoisonnée. Aussitôt les cheveux d'Arachné tombent, et son nez, et ses oreilles. Sa tête rapetisse, son corps fond. À ses flancs s'attachent, au lieu de jambes, de maigres doigts interminables. Il ne lui reste plus qu'un ventre, d'où sort un fil.

Et de ce fil, devenue araignée, Arachné file, file, file et tisse sa toile pour l'éternité...

(livre VI)

9. Médée la magicienne

Dans l'histoire de Médée et de Jason, Ovide ne s'intéresse ni à l'expédition des Argonautes à la recherche de la Toison d'or, ni au crime célèbre commis par Médée, enragée par l'infidélité de Jason et meurtrière de ses propres enfants. Avant lui, d'autres poètes en ont parlé. Ovide, lui, préfère nous présenter une Médée jeune, innocente, au moment où elle tombe amoureuse, une Médée pleine de bonne volonté, déjà experte en magie. Et les rites auxquels se plie l'antique magicienne ressemblent beaucoup à ceux qui sont suivis par nos modernes sorcières.

Médée la magicienne vivait au pied du Caucase, sur les bords de la mer Noire. Son père Æétès, un des fils du Soleil, était le roi de la Colchide et il possédait la Toison d'or d'un bélier merveilleux, qui assurait à son royaume bonheur et prospérité.

Aussi cette Toison était-elle bien protégée et celui qui voulait s'en emparer devait subir une série d'épreuves : atteler à une charrue des taureaux menaçants ; semer dans le sol labouré les dents d'un serpent, d'où sortiraient des guerriers tout armés qu'il faudrait combattre ; enfin se mesurer à un affreux dragon, gardien toujours éveillé de la Toison.

Et voici que Jason, un jeune Grec, venu de la lointaine Thessalie, abordait en Colchide afin de prendre la Toison. Lui et ses amis, tous nobles, certains même fils de dieux, s'étaient embarqués sur le vaisseau Argo – ce qui explique pourquoi on les nommait les Argonautes. Ils avaient franchi les mers au péril de leur vie et Jason, leur chef, s'apprêtait à demander la Toison au roi Æétès. Mais avant de l'obtenir, il devrait remporter les fameuses épreuves, imposées par le roi de Colchide, épreuves si effroyables qu'elles ébranlaient son cœur d'ordinaire intrépide et affolaient les Grecs, ses compagnons. Comment Jason pourrait-il vaincre sans aide ?

Or Médée, la fille du roi, remarqua le jeune homme et ressentit aussitôt pour lui une passion violente. Elle tenta d'y résister ; si elle s'y abandonnait, n'allait-elle pas trahir son père et son pays ?

« C'est en vain que tu luttes contre ton cœur, Médée, se disait la jeune fille à elle-même. Ce que tu ressens ressemble bien à de l'amour et l'Amour est le plus puissant des dieux. Pourquoi les ordres de mon père me paraissent-ils si cruels ? Pourquoi ai-je tellement peur que cet homme meure, lui que je vois pour la première fois ?... Ah ! je voudrais être plus raisonnable ! Moi qui suis fille de roi, je rêve d'épouser cet étranger et d'aller vivre en Grèce, dans un monde différent du mien... La vie et la mort de Jason sont dans les mains des dieux. Ô dieux ! faites qu'il vive ! Il est innocent, il est noble, il est vaillant. Qui ne serait ému par sa jeunesse, par sa beauté ?... Si je ne lui viens pas en aide, il sera livré aux taureaux, aux guerriers, au dragon... Ah ! que les dieux l'assistent !... Mais il n'a que faire de prières. Ce qu'il lui faut, ce sont des actes. Je dois agir... Allons, Médée ! À l'ouvrage ! Dépêche-toi !... C'est à moi que tu devras tout, Jason. C'est moi que tu épouseras, à la lueur des torches nuptiales. C'est moi que les mères des Argonautes, tes compagnons, viendront remercier. Pour toi, je trahirai mon père, j'abandonnerai mon pays et ma famille, je me livrerai sur la mer à l'humeur capricieuse des vents...

Qu'importe si la navigation est dangereuse, s'il faut affronter sur les flots des récifs hauts comme des montagnes et des monstres ! Je ne craindrai rien, tant que tu me tiendras serrée dans tes bras, et tu m'emporteras, loin sur les routes de la mer... Tu m'emporteras, toi... Jason... le Grec, l'étranger... mon époux... C'est moi qui parle de mariage... N'est-ce pas plutôt un prétexte dont je me sers pour masquer ma trahison ? Comme la passion m'entraîne loin de mon devoir !... Ah, Médée, Médée, que vas-tu faire ? »

Devant la jeune fille indécise, déchirée, s'élevaient comme des divinités puissantes l'Honneur, le Respect de Soi, le Sens de la Famille, et l'Amour vaincu s'éloignait.

Pour oublier Jason, Médée se dirigea vers la forêt, au fond de laquelle se cachait l'autel d'Hécate, l'antique déesse au triple visage, symbole de la lune changeante, protectrice des magiciennes. La jeune fille marchait dans l'ombre épaisse des arbres et déjà, se sentant plus forte, elle se félicitait d'avoir chassé la passion qui la brûlait, lorsque soudain Jason se dressa devant elle.

Médée rougit, tout son visage s'enflamma. Elle s'imaginait voir en lui, non un mortel, mais un dieu.

Il saisit sa main droite et d'une voix douce, sur un ton implorant, supplia la jeune fille de l'aider et lui promit de l'épouser. Médée fondit en larmes et répondit au Grec :

« Ce que je devrais faire, je le sais... Je ne le ferai pas, non par ignorance de mon devoir, mais parce que l'amour m'y oblige... Tu seras sauvé, grâce à moi. Mais toi, quand tu seras sauvé, tiens ta promesse. »

Jason jura solennellement qu'il la tiendrait. Il jura par l'autel de la Lune au triple visage, par la divinité qui protégeait le bois, par le Soleil dont le roi Æétès était le fils, par les succès qu'il espérait, par les dangers qu'il allait courir. Médée le crut. Aussitôt elle lui donna des herbes magiques et lui expliqua comment s'en servir. Jason, tout joyeux, s'en retourna vers sa demeure.

Le lendemain, dès l'aurore, le peuple avait pris place sur la colline, près du lieu sacré où se trouvait la Toison d'or. Le roi s'était assis au milieu de ses gardes, vêtu de pourpre, le sceptre d'ivoire à la main.

Devant eux, dans la plaine, surgissent les taureaux, soufflant le feu par leurs naseaux. Les flammes ronflent dans leur poitrine, l'herbe touchée par leur haleine s'embrase. Jason vient à leur rencontre. En l'entendant, les bêtes tournent vers lui leurs cornes menaçantes, battent la terre de leurs sabots, et leurs mugissements soulèvent des tourbillons de fumée dans la plaine. La peur glace les compagnons du jeune Grec, mais celui-ci, sous le charme des herbes magiques, sans s'émouvoir, avance la main vers les mufles terribles, les caresse, attelle les animaux au joug et les force à tirer la charrue et à fendre le sol. Les Colchidiens sont muets de surprise. Les Grecs poussent des clameurs qui redoublent le courage de Jason.

Dans le champ qu'il vient de labourer, il sème les dents empoisonnées du serpent. À peine ont-elles touché la terre qu'elles se transforment en guerriers, et ces guerriers innombrables brandissent des armes. En les voyant tous prêts à lancer leurs javelots sur Jason, seul, sans épée, sans bouclier, les Argonautes baissent le front, pleins d'effroi. Médée, qui assiste à la scène, pâlit. Une angoisse intolérable la saisit, elle est obligée de s'asseoir. Craignant que l'effet de ses herbes soit insuffisant, elle prononce tout bas une incantation, elle fait appel à tous les secrets de son art. Jason se baisse, soulève une grosse pierre et la jette au milieu de ses ennemis. Ils se détournent de lui pour se ruer, furieux, les uns contre les autres, et les blessures qu'ils se font sont mortelles. Ils tombent tous, victimes de leur lutte fratricide.

Les Grecs entourent leur chef, l'acclament, le pressent dans leurs bras. Comme Médée aimerait en faire autant ! Elle n'ose pas. Que dirait-on d'elle ? Du moins elle se félicite du succès de ses sortilèges et elle rend grâce à ses dieux, pleine d'une joie secrète.

Il ne reste plus à Jason que la dernière épreuve : endormir le dragon qui ne dort jamais, un monstre à crête, à crocs, à triple langue, dont la seule vue fige le sang. Le jeune Grec l'asperge du suc d'une certaine plante et prononce trois fois la formule qui procure un sommeil paisible : le dragon, pour la première fois de sa vie, ferme les yeux.

Jason peut alors s'emparer de son butin, la Toison d'or. Il emmène, comme un autre butin, sa bienfaitrice, Médée la magicienne, et avec elle, devenue son épouse, il retourne dans sa patrie, la Thessalie.

Quelle joie, quel triomphe dans toute la Thessalie ! Les mères, les vieux pères des Argonautes, heureux du retour de leurs fils, reconnaissants envers les dieux, font brûler l'encens sur leurs autels et leur offrent des sacrifices. Seul Æson, le père de Jason, ne se joint pas à ce concert d'actions de grâces. Accablé par la vieillesse, il se sent trop proche de la mort. Jason s'en attriste.

« Toi qui es si puissante, toi à qui je dois tant, dit-il à son épouse, ne peux-tu retrancher quelques années de ma vie pour les donner à mon père ? »

Médée est émue par tant d'amour filial, elle qui a abandonné son propre père, Æétès. Mais elle ne montre pas ses sentiments.

« Comment peux-tu me demander d'abréger ta vie, Jason, répond-elle. Non, je ne le ferai pas. Je ferai davantage. J'essaierai, par mon art, de rendre à ton père sa jeunesse. Puisse Hécate, la déesse au triple visage, m'aider dans cette entreprise difficile ! »

Médée attend pendant trois nuits que la lune soit pleine. Quand son disque rond illumine le ciel, la jeune femme sort de sa demeure, vêtue d'une robe sans ceinture, les pieds nus, les cheveux dénoués flottant sur les épaules. Personne ne l'accompagne. La campagne est silencieuse. Hommes et bêtes dorment d'un profond sommeil. Aucun murmure, aucun souffle pour agiter les branches, même l'air humide est immobile. Seuls les astres brillent.

Médée tend les bras vers eux, tourne trois fois sur elle-même, trois fois fait ruisseler sur ses cheveux de l'eau puisée au fleuve, trois fois pousse un cri prolongé. Puis elle s'agenouille et commence ses invocations.

« Ô Nuit, gardienne des secrets, toi qui avec tes astres d'or succèdes à la lumière du jour, ô toi, Hécate au triple visage, confidente de mes projets, ô Terre qui offres aux magiciens tes herbes redoutables, ô vous tous, vents, montagnes, fleuves, étangs, dieux des bois, dieux de la nuit, aidez-moi ! Secondez-moi, comme vous l'avez fait quand j'ai forcé les fleuves à remonter leur cours jusqu'à leur source, quand j'ai apaisé la tempête, quand je l'ai provoquée, quand j'ai dissipé les nuages, quand je les ai rassemblés, quand j'ai brisé la gorge des vipères, animé les rochers, arraché les forêts à leur sol pour les obliger à marcher, quand j'ai donné aux montagnes l'ordre de trembler, à la terre de mugir, aux Morts de sortir de leurs tombes... Et toi, Lune, viens à mon appel, écoute-moi, moi dont les charmes font pâlir l'Aurore et reculer le char du Soleil, père de mon père ! Ô divinités, grâce à vous, dans la plaine de Colchide, les taureaux, les guerriers sont devenus inoffensifs et le dragon s'est endormi, et grâce à vous, les villes de la Grèce sont riches, possédant l'or de la Toison !

Maintenant, donnez-moi les éléments nécessaires pour composer un philtre, capable de rendre sa jeunesse à un vieillard. Vous me les donnerez, je le sais : je vois briller les astres d'un plus vif éclat, et voici que s'avance, pour que j'y monte, un char attelé de dragons. »

En effet un char se trouve là, descendu du ciel. Médée caresse le cou des dragons et prend les rênes. Aussitôt le char monte dans l'air, au-dessus de la Thessalie. La magicienne dirige sa course vers les montagnes, où elle choisit, soigneusement, des herbes qu'elle arrache avec leurs racines, à moins qu'elle ne les coupe au pied, avec une faucille de bronze. Après quoi, elle suit le cours des fleuves pour prendre d'autres plantes, s'arrête aux rives d'un lac envahi par les joncs, va jusqu'au détroit qui sépare de la Grèce l'île d'Eubée.

Au bout de neuf nuits, elle revient. Elle ne retourne pas dans sa demeure, évite tout contact avec les hommes.

Elle élève deux autels de gazon et y allume un feu, l'un en l'honneur d'Hécate, l'autre de Juventa, la déesse de la jeunesse. Puis, au-dessus de deux fossés qu'elle a creusés dans la terre, elle égorge une brebis noire et laisse le sang couler jusqu'à la dernière goutte. Par-dessus elle verse des coupes de vin et de lait chaud, tout en prononçant des formules magiques. Elle invoque les divinités de la terre et le dieu des Ombres, Pluton, avec son épouse, Proserpine. Elle leur demande de ne pas retirer trop tôt au vieillard le souffle de la vie.

Ensuite elle fait apporter le corps d'Æson, qu'elle a endormi auparavant, et elle l'étend sur un lit d'herbes.

« Allez-vous en ! » dit-elle aux serviteurs et à Jason, venu accompagner son père. Ils obéissent.

Médée est seule avec le vieillard, semblable à un cadavre. Elle tourne autour des autels, prend deux torches, faites de branchages, les plonge dans le sang noir des fosses et les allume. Elle purifie le corps d'Æson, trois fois par le feu, trois fois par l'eau, trois fois par le soufre.

Pendant ce temps, dans un chaudron de bronze, au-dessus de la flamme, bouillonne le philtre qu'elle a préparé. Une écume blanche le recouvre. Des racines, des graines, des fleurs, le suc de plantes au goût âcre le composent. Médée ajoute des pierres ramassées en Asie, du sable lavé par l'Océan, de la rosée recueillie dans les prés une nuit de pleine lune, les ailes de vampire d'une stryge, les entrailles d'un loup-garou, les écailles d'un serpent venimeux, le foie d'un cerf réputé pour sa longévité, la tête d'une corneille qui a vécu neuf siècles. Ainsi végétaux, minéraux et animaux ensemble cuisent-ils à petit feu dans le chaudron.

Au bout d'un long moment, Médée prend une branche d'olivier desséchée pour remuer le liquide et mélanger le fond à la surface. Voici que la branche morte se met à reverdir, se couvre de feuilles et bientôt d'olives mûres, tandis que, au contact des gouttes qui tombent du chaudron sur le sol, l'herbe s'émaille de fleurs et prend la couleur du printemps.

Dès que Médée a constaté ce phénomène, elle saisit une épée, ouvre la gorge du vieillard, le vide de son sang et remplace celui-ci par le philtre brûlant. À peine le liquide a-t-il commencé à couler dans ses veines qu'Æson se dresse, rajeuni. Sa barbe, ses cheveux sont redevenus noirs, sa maigreur, sa pâleur ont disparu, une chair ferme a remplacé sa peau ridée, ses membres ont retrouvé leur force.

Il s'émerveille. Il se retrouve tel qu'il était quarante ans plus tôt. Et ce bienfait, il le doit à Médée, la magicienne.

(livre VII)

10. Un couple harmonieux : Philémon et Baucis

Cette fois encore, comme dans l'histoire de Pallas et d'Arachné, les héros sont des gens de condition très modeste, en outre pauvres et âgés. Ils épuisent toutes leurs réserves pour offrir à leurs visiteurs ce qui leur semble un festin : des fruits, des légumes, qu'ils cultivent eux-mêmes, un vieux morceau de lard, un rayon de miel... Parce qu'ils savent pratiquer l'hospitalité, qu'ils acceptent leur condition, qu'ils s'entendent bien et honorent les dieux, ils subiront une métamorphose heureuse et souhaitée – fait rare dans ce livre. Ce récit occupe une place privilégiée, au milieu de l'ouvrage, comme si Ovide avait voulu

attirer l'attention du lecteur sur la conduite exemplaire de Philémon et de Baucis.

Un jour Jupiter décida d'aller rendre visite aux hommes, sous l'apparence d'un mortel. Il proposa à son fils Mercure de l'accompagner. Celui-ci retira d'abord les ailes attachées à ses sandales, afin qu'on ne le reconnût pas, et les deux dieux, habillés comme de simples voyageurs, descendirent en Phrygie, une région d'Asie mineure.

Comme le soir tombait, ils se dirigèrent vers de belles maisons, pour demander l'hospitalité. Ils trouvèrent toutes les portes closes, sauf celle d'une modeste chaumière, au toit couvert de roseaux des marais. Là demeurait un vieux couple, Philémon et Baucis. Ils s'étaient mariés jeunes, avaient toujours vécu au même endroit, supportant la pauvreté avec bonne humeur. Ce n'était pas chez eux qu'on aurait pu rencontrer des maîtres et des serviteurs : ils étaient les deux à la fois !

Dès que les dieux eurent franchi le seuil de la porte, si basse qu'ils durent baisser la tête pour entrer, Philémon les invita à s'asseoir. Vite, avant qu'ils aient pu le faire, Baucis jeta sur les sièges de bois un tissu grossier. Puis elle entreprit de ranimer le feu.

Elle écarta les cendres encore tièdes, disposa dans l'âtre des feuilles et des morceaux d'écorce sèche et souffla dessus, du mieux qu'elle pouvait avec son peu de souffle, pour en tirer des flammes. Puis elle alla chercher dans la réserve des brindilles et des bûches fendues, qu'elle cassa, pour les disposer sous une petite marmite pleine d'eau.

Ensuite elle dépouilla de leurs feuilles les légumes que son mari était allé cueillir dans son jardin, et elle les plongea dans la marmite.

Avec une fourche à deux dents, Philémon décrocha un dos de porc fumé qui pendait depuis longtemps à une poutre noircie. Baucis en coupa un petit morceau, qu'elle ajouta aux légumes et, pour attendrir la viande, elle la laissa longtemps mijoter dans l'eau bouillante.

En attendant que le repas fût prêt à être servi, les deux vieillards firent la conversation avec leurs hôtes et préparèrent le lit sur lequel ceux-ci pourraient s'étendre pour manger. C'était un lit en bois de saule, avec un matelas d'algues. Philémon et Baucis le secouèrent pour le rendre plus moelleux, avant de le recouvrir d'une étoffe qu'ils gardaient pour les jours de fête, bien qu'elle fût de peu de valeur.

Quand les dieux se furent couchés, la vieille femme retroussa sa robe, pour être plus libre dans ses mouvements, et apporta près du lit, de ses mains tremblantes, une table à trois pieds. Comme la table était branlante, elle cala le pied le plus court avec un tesson de bouteille. Ensuite elle l'essuya avec un bouquet de menthes et disposa dessus, dans des plats de terre cuite, des olives noires, des olives vertes, chères à la déesse Minerve, les fruits du cornouiller conservés dans le vinaigre, des endives, du raifort, du fromage frais, des œufs cuits sous la cendre. Puis elle apporta un cratère, pour y mêler le vin et l'eau, avec des coupes en bois de hêtre enduit de cire.

Bientôt arrivèrent les plats chauds. Enfin on écarta le vin, pour faire place au dessert : des noix, des figues mélangées avec des dattes ridées, des prunes, des pommes parfumées, des grappes de raisin dans leurs feuilles couleur de pourpre et, au milieu, un rayon de miel blanc. Mais plus que ces mets simples, ce qui réjouissait le cœur des dieux, c'était la bonté rayonnante des deux vieillards, leur empressement et leur générosité.

Cependant Philémon et Baucis s'aperçurent que le cratère de vin, souvent vidé, se remplissait de lui-même et ce fait étrange les effraya. Ils commencèrent à réciter des prières et demandèrent à leurs hôtes de leur pardonner la simplicité du repas et la lenteur de leurs préparatifs.

Ils ne possédaient qu'une seule oie qui, grâce à son ouïe fine, leur servait à garder la maison. Ils se préparèrent à la sacrifier, en l'honneur de leurs invités. Mais l'oie était plus agile qu'eux, alourdis par l'âge ! Ils ne parvenaient pas à l'attraper. Elle les fit courir longtemps et finit par chercher refuge auprès des dieux.

« Ne la tuez pas ! s'écrièrent alors Jupiter et Mercure. Oui, nous sommes bien des dieux et vos voisins seront punis, eux qui sont riches mais n'ont pas voulu nous accueillir. Ils recevront un châtiment mérité, mais vous, vous serez épargnés. Abandonnez votre chaumière et suivez-nous sur le sommet de la montagne. »

Les deux vieillards obéirent et, appuyés sur leur bâton, gravirent péniblement la pente. Lorsqu'ils arrivèrent au sommet, ils virent, au-dessous d'eux, le village englouti par un étang ; seule leur maison était restée debout.

Comme ils se désolaient du sort de leurs voisins, ils assistèrent à la transformation de leur chaumière en temple : les troncs d'arbre fourchus qui supportaient le toit se changèrent en colonnes, les roseaux des marais en plaques d'or sur le faîte, le bois de la porte en métal ciselé, et la terre battue en dalles de marbre...

« Vous qui savez pratiquer la justice, demandez-nous ce que vous voulez », leur dit Mercure avec bonté.

Philémon consulta Baucis et déclara :

« Nous souhaitons devenir les gardiens de votre temple et, puisque nous nous sommes toujours bien entendus au cours de notre vie commune, faites que nous mourrions ensemble. Que jamais je n'aie à porter le corps de ma femme sur son bûcher et que jamais elle n'ait à me mettre au tombeau ! »

Leurs vœux furent exaucés. Un jour qu'ils se trouvaient tous deux sur les marches du temple, Baucis vit Philémon se couvrir de feuilles, Philémon vit des feuilles couvrir Baucis, et déjà la cime des deux arbres dépassait de leurs deux visages. Tant qu'ils le purent, ils se parlèrent. « Adieu ! » dirent-ils en même temps et leurs deux bouches disparurent ensemble sous l'écorce qui les enveloppait.

Aujourd'hui encore, près de l'étang que hantent les oiseaux des marais, s'élancent deux arbres entremêlant leurs branches. Et les gens du pays leur offrent des guirlandes, en hommage à la piété de Philémon et de Baucis.

(livre VIII)

11. Dryopé changée en arbre

L'intervention des dieux, c'est-à-dire le destin, semble parfois injuste et cruelle : tout, dans la nature, est sacré et l'on peut être sacrilège sans le vouloir, être puni sans l'avoir mérité. C'est ce qu'il arrive à Dryopé. Le côté touchant de son histoire est accentué par le fait que la narratrice est sa propre sœur, qui a assisté à la scène et la relate, étape par étape, mêlant au récit ses sentiments. En outre, la métamorphose de Dryopé se fait en présence de son petit enfant.

« C'est moi, Iolé, qui vous parle et je vais vous conter l'histoire surprenante et terrible de ma sœur Dryopé. Quand j'y pense, les larmes, la peine que je ressens m'empêchent presque d'ouvrir la bouche !

Dryopé était la plus belle des femmes de l'île d'Eubée. Elle avait épousé Andræmon. Ils étaient heureux. Ils avaient un petit enfant, Amphissos.

Un jour Dryopé vint avec moi et l'enfant se promener au bord d'un lac. Ses rives étaient en pente et, tout en haut, poussaient des myrtes.

Dryopé ne se doutait pas du sort qui l'attendait… Et le plus révoltant, c'est qu'elle venait offrir des couronnes aux nymphes du lac, pour les honorer.

Elle portait dans ses bras son enfant, qui n'avait pas encore un an et qu'elle allaitait.

Près de la rive poussait un jujubier, que nous appelons aussi lotus. Il était couvert de fleurs d'un beau rouge vif, qui donneraient plus tard des grappes de fruits à la saveur douce.

Ma sœur Dryopé s'approche de l'arbre. Elle cueille quelques fleurs pour amuser son fils. J'allais en faire autant : je vois des gouttes de sang tomber des fleurs cueillies et leurs tiges frissonner. La vérité, je l'ai apprise trop tard de la bouche d'un paysan : pour échapper aux avances brutales de Priape, la nymphe Lotis s'était métamorphosée en cet arbre et lui avait donné son nom, *lotus*.

Ma sœur ignorait l'histoire de Lotis. Effrayée par ce qu'elle voit, elle veut retourner sur ses pas, après avoir honoré les nymphes. Ses pieds sont fixés dans le sol, comme par une racine !

Elle fait des efforts pour s'en libérer ; elle ne peut plus bouger que le haut de son corps. Et voilà qu'une sorte d'écorce l'enveloppe peu à peu, du pied jusqu'à l'aine. Elle s'en rend compte. Elle porte les mains à ses cheveux ; dans sa détresse, elle veut les arracher. Ses mains sont pleines de feuilles, des feuilles couvrent toute sa tête !

Amphissos, qu'elle tient toujours dans ses bras, sent durcir le sein de sa mère. Le lait ne parvient plus jusqu'à ses lèvres.

Et moi, moi, je suis là, et je ne peux rien faire. Ah ! ma sœur chérie ! comment te porter secours ? J'entoure de mes bras le tronc de l'arbre et ses branches, et, de toutes mes forces, j'essaie de retarder leur croissance. Je voudrais, moi aussi, être prisonnière de la même écorce.

À ce moment arrivent Andræmon, l'époux de Dryopé, et son père. Ils la cherchent. Dryopé ! Dryopé ! Où est-elle ? Je leur montre le jujubier. Ils le serrent dans leurs bras, ils couvrent de baisers son bois tiède. Seul le visage de ma sœur ne s'est pas encore transformé. Et ses larmes coulent le long de l'arbre qu'est devenu son corps.

Aussi longtemps que sa bouche peut encore livrer passage à des sons, Dryopé parle et se plaint :

“Il faut écouter les malheureux ! Je jure par tous les dieux que je ne méritais pas un sort pareil ! Je suis punie sans avoir commis de crime : ma vie a toujours été innocente. Si je mens, que mon tronc se dessèche, que mon feuillage tombe, que je finisse sous la hache ou sur le bûcher !

Mais prenez cet enfant, enlevez-le des branches maternelles, confiez-le à une nourrice... Je voudrais qu'il vienne sous mon ombrage, souvent, pour téter, pour jouer. Quand il saura parler, qu'il me salue, moi, sa mère, qu'il dise, tristement : ‘Ma mère est cachée dans ces branches...’ Surtout, qu'il craigne l'eau des lacs, qu'il ne cueille pas de fleurs aux arbres ! Le moindre arbuste peut être le corps d'une déesse.

Adieu, mon cher Andræmon ! Adieu, ma sœur ! Adieu, mon père ! Si vous m'aimez encore, protégez mon feuillage. Qu'il ne tombe pas sous les coups de la serpe ou sous les dents des troupeaux !

Je ne peux plus me pencher vers vous, mais vous, vous pouvez vous hausser jusqu'à moi... Que je vous embrasse, tant que mes lèvres existent... Soulevez près de moi mon bébé...

Je ne peux plus parler... L'aubier tendre saisit mon cou blanc, les feuilles de ma cime me cachent... Écartez vos mains : inutile de me fermer pieusement les yeux. L'écorce qui me couvre se chargera de ce devoir à l'heure de ma mort..."

Dryopé cessa de parler et d'exister au même instant. Mais longtemps après sa métamorphose, les branches neuves qui lui poussaient conservaient la chaleur de son corps. »

(livre IX)

12. Vie et mort d'Orphée

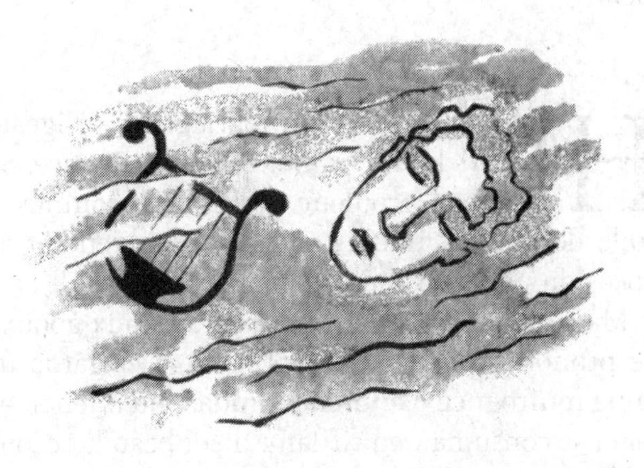

Orphée était-il le fils d'Apollon, le dieu des arts et de la musique ? On ne sait, mais, à coup sûr, sa mère était Calliope, la muse de la poésie héroïque. Orphée passe pour l'un des plus grands poètes de l'Antiquité ; comme tous les poètes de ce temps-là, il chante toujours en s'accompagnant de la lyre. En l'entendant chanter, végétaux, animaux, minéraux même accourent et se rangent en cercle autour de lui. Quand il descend dans les Enfers, les Ombres l'entourent et pleurent. Dans ce récit, Ovide ne se contente pas de nous raconter les amours touchantes et tristes d'Orphée et d'Eurydice, il met surtout en

lumière le rôle de la poésie et la fonction du poète. Ainsi, en parlant d'Orphée, il peut parler de lui-même.

Hyménée, le dieu du mariage, se dirigeait à travers le ciel immense vers la Thrace. Son manteau, couleur de safran comme un voile de mariée, flottait au vent. Il se rendait aux noces du poète Orphée.

Mais quand il arriva près des nouveaux époux, il ne prononça pas le discours d'usage et garda une mine renfrognée. La torche nuptiale qu'il tenait à la main se consumait en sifflant. Il eut beau la secouer, il n'en tira pas de flamme, rien que de la fumée qui piquait les yeux.

Hélas ! ce qui se passa ensuite confirma ces mauvais présages. Comme Eurydice, la jeune épousée, jouait dans les prés avec les nymphes des eaux, ses compagnes, un serpent la piqua au talon et elle mourut.

Orphée la pleura longuement sur la terre et, quand il l'eut assez pleuré, il partit la chercher au royaume des Ombres. Il descendit jusque sur les bords du Styx et fendit la foule légère des Morts, pour s'approcher de Proserpine et implorer Pluton, le dieu qui règne en maître dans les Enfers.

Le poète préluda sur sa lyre et se mit à chanter :

« Ô vous, dieux du monde souterrain, dieux auxquels nous appartiendrons tous un jour, puisque nous sommes tous promis à la mort, permettez-moi de vous parler avec franchise. Je ne suis pas venu pour connaître le sombre séjour, ni pour enchaîner les trois cous de Cerbère, le fils monstrueux de Méduse. Je suis venu pour mon épouse. Le serpent sur lequel elle a posé le pied a interrompu le cours de sa vie. J'ai perdu Eurydice.

J'ai essayé de supporter sa perte, je n'ai pas pu : l'Amour m'a vaincu. L'Amour est un dieu bien connu là-haut sur la terre, mais vous, le connaissez-vous ?... Sans doute... Ne dit-on pas que Pluton a enlevé Proserpine par amour ? C'est donc l'amour qui unit le roi et la reine des Enfers.

Je vous en prie, au nom de ce lieu plein d'épouvante, au nom de ce vaste chaos, au nom de ce royaume du silence, faites qu'Eurydice me soit rendue et qu'elle achève sur la terre sa vie jusqu'au bout. Je sais que tout vous est soumis, que nous devons tous aboutir ici, que cette demeure est pour nous la dernière et que c'est vous qui régnez le plus longtemps sur les humains. Quand Eurydice aura vécu son compte d'années, elle obéira à vos lois. Je demande simplement qu'elle vive encore un peu pour moi.

Si vous me refusez cette grâce, je ne retournerai pas sur mes pas : je resterai ici et vous pourrez vous réjouir de notre double mort, à Eurydice et à moi. »

Le chant d'Orphée était si touchant, le son de sa lyre si beau qu'autour de lui pleuraient les Ombres pâles. Les supplices des criminels, qui expiaient leurs fautes dans les Enfers, s'interrompirent. Tantale[1] n'essaya plus de boire l'eau qui le fuyait, la roue enflammée d'Ixion[2] s'arrêta, les Danaïdes[3] abandonnèrent leurs urnes percées, sans tenter de les remplir, et Sisyphe[4], au lieu de pousser en haut de la pente son rocher, pour le voir redescendre ensuite, s'assit dessus, tout simplement. Quant à Pluton et à sa royale épouse, ils n'eurent pas le cœur de s'opposer à la demande du poète. Ils appelèrent Eurydice.

Elle se trouvait parmi les Ombres qui venaient d'arriver en ces lieux. Elle s'avança lentement, gênée par sa blessure au pied. Orphée eut l'autorisation de la ramener sur la terre, à condition de ne pas la regarder, tant qu'il ne serait pas sorti des vallées infernales. S'il le faisait, il la perdrait.

Les deux époux montèrent en silence, par un sentier escarpé, dans le brouillard et dans l'obscurité. Ils étaient sur le point de quitter les Enfers et de fouler enfin la terre, quand Orphée, impatient de voir celle qu'il aimait, craignant qu'elle ne lui échappât, tourna vers elle des yeux pleins d'amour.

Aussitôt Eurydice recule, comme tirée en arrière. Elle tend les bras à son époux, elle essaie de se retenir à lui, de le toucher encore. Elle ne touche que l'air impalpable. Elle ne se plaint pas – de quoi pourrait-elle se plaindre ? d'être trop aimée ? –, mais elle tente de lui dire adieu et ses paroles parviennent à peine à l'oreille du poète. Puis elle retombe dans l'abîme d'où elle était sortie.

Eurydice est morte une seconde fois. Orphée est frappé de stupeur. Il essaie de franchir à nouveau le fleuve des Enfers, ses prières restent vaines, le passeur le repousse, intraitable.

Le poète demeure sur la rive du Styx sept jours entiers, sans prendre soin de sa personne, sans boire, sans manger, ne se nourrissant que de son désespoir et de ses larmes. Il gémit, il accuse de cruauté les divinités infernales.

Quand il a épuisé ses larmes, il finit par se retirer en Thrace, au sommet du Rhodope, un mont battu par les vents. Il reste seul. Il fuit désormais l'amour des femmes.

Pourtant le poète chante encore, en faisant résonner les cordes de sa lyre.

Un jour qu'il se trouve sur la pente d'une colline, assis sur le gazon, dans un endroit dépourvu d'ombre, ses chants attirent des arbres : chênes majestueux, tilleuls délicats, frênes au bois dur dont on fabrique les javelots, platanes qui protègent de leur feuillage les compagnons joyeux, érables colorés, saules amis de l'eau, tamaris, myrtes, lierres, lauriers, vignes, et des palmiers, et des pins, et des cyprès. C'est une véritable forêt qui ombrage Orphée, tandis qu'autour de lui s'est formé un cercle de bêtes sauvages et que le ciel frémit du vol d'innombrables oiseaux. Alors il fait vibrer sous son pouce sa lyre et l'accorde, puis il s'adresse à sa mère, la muse Calliope, pour chanter les amours des dieux et célébrer Jupiter.

Les forêts, les animaux, les rochers même retiennent leur souffle pour écouter ses chants. Mais des femmes de Thrace l'ont aperçu. Elles appartiennent au cortège de Bacchus. Vêtues de peaux de bête, le thyrse[5] à la main, la chevelure au vent, elles s'écrient :

« Le voilà ! le voilà ! l'homme qui ne regarde jamais les femmes... Le voilà ! l'homme qui nous méprise ! »

L'une d'elles lance contre la bouche du poète son thyrse, sans lui faire de mal. L'autre lui jette une pierre. La pierre, comme prise de remords, tombe au pied d'Orphée.

Les Bacchantes ne s'en tiennent pas là. Elles se déchaînent. Ç'aurait été en vain si le poète avait pu faire entendre son chant : les projectiles se seraient déviés de leur course. Malheureusement, les clameurs du cortège, le son des flûtes, des tambourins, les battements des mains, les hurlements couvrent la voix d'Orphée et les rochers finissent par se teindre de sang.

Avec leurs thyrses, avec des branches, avec des mottes de terre, avec des pierres, les Bacchantes blessent Orphée. Elles l'achèvent de leurs mains sanglantes, tandis que lui, tendant en vain les bras, prononce pour la première fois des mots qui restent sans effet. De sa bouche inutile s'exhale son dernier souffle, emporté par le vent.

Mais ces femmes enragées seront punies. Bacchus, indigné par le comportement sauvage de ses suivantes, fera d'elles des végétaux, impuissants, attachés au sol par des racines.

Le poète n'est plus. Les oiseaux sont tristes. Les animaux sauvages, les rochers, les forêts, qu'Orphée a si souvent entraînés à sa suite, pleurent. Les arbres deviennent chauves, laissant tomber leurs feuilles, les fleuves grossissent de leurs larmes, les nymphes des eaux et des bois s'enveloppent de voiles noirs et ne peignent plus leurs cheveux.

Tandis que gisent sur le sol les membres du poète, sa tête et sa lyre sont emportées par les flots de l'Hèbre et murmurent des plaintes indistinctes, que répètent tristement les rives. Bientôt la mer entraîne, loin de son pays, les restes d'Orphée, jusque dans l'île de Lesbos, patrie des musiciens et des poètes.

L'ombre d'Orphée, elle, descend sous terre. Le poète reconnaît ces lieux où il est venu jadis, à la recherche d'Eurydice. Il la cherche encore parmi les âmes pieuses. Il la trouve, il la prend, il la serre dans ses bras. Ensuite ils marchent côte à côte, chacun réglant son pas sur le pas de l'autre.

Parfois elle le précède et il la suit, à moins qu'il ne soit le premier et elle derrière... Qu'importe ! Orphée peut désormais, aussi souvent qu'il le veut, se retourner pour regarder son Eurydice.

(livres X et XI)

Notes pour « Vie et mort d'Orphée » :

1 - Tantale : fils de Jupiter, il trahit les dieux. Sa punition sera de ne jamais étancher sa soif, le niveau de l'eau dans laquelle il baigne baissant chaque fois qu'il veut boire.
2 - Ixion : invité dans le domaine des dieux, il essaie de séduire Junon, l'épouse de Jupiter. Il sera, au fond des Enfers, lié à une roue enflammée, qui tourne éternellement.
3 - Les Danaïdes : ayant égorgé leurs maris le soir de leurs noces, les cinquante filles de Danaos sont condamnées à tenter de remplir d'eau des urnes sans fond.
4 - Sisyphe : parce qu'il a trompé Pluton ou dénoncé Jupiter dans une de ses aventures amoureuses, Sisyphe doit rouler un rocher jusqu'au sommet d'une pente ; arrivé en haut, le rocher retombe et Sisyphe doit recommencer.
5 - Le thyrse : attribut de Bacchus ; c'est un bâton autour duquel s'enroulent des feuilles de lierre et de vigne et que surmonte une pomme de pin.

13. La statue de Pygmalion

Nous assistons à une métamorphose à l'opposé de celles qui nous sont habituellement contées. Cette fois, ce n'est pas un être vivant qui se transforme en chose, un humain en animal ou en végétal ; non, c'est un objet inanimé qui s'anime. Une statue devient femme, tant est grande la puissance de l'art et de l'amour...

Pygmalion redoutait les femmes. Il leur trouvait tant de défauts qu'il préférait rester célibataire.

C'était un artiste. Il sculpta dans l'ivoire une statue merveilleuse, blanche comme neige, et plus belle qu'aucune femme en chair et en os. Et il devint amoureux d'elle.

Elle avait l'air d'une jeune fille. On aurait cru qu'elle était vivante, qu'elle allait se mettre à bouger – ce qui est le comble de l'art.

Pygmalion, ému, émerveillé par la ressemblance de son œuvre avec un vrai corps humain, promenait ses mains sur l'ivoire et il se demandait si c'était bien de l'ivoire ou de la chair. Il embrassait la statue, il s'imaginait qu'elle lui rendait ses baisers. Il la serrait dans ses bras, si fort qu'il craignait ensuite de lui avoir laissé des marques sur la peau. Il lui apportait des cadeaux, de ceux qui plaisent aux jeunes filles : coquillages, cailloux polis, petits oiseaux, fleurs de toutes les couleurs, lis, balles peintes, et ces gouttes d'ambre que pleurent les peupliers et dont les femmes font des colliers. Il l'habillait, il passait à ses doigts des bagues, des chaînes à son cou et suspendait des perles à ses oreilles. Elle était belle ainsi parée, mais, sans parures, sans vêtements, elle ne l'était pas moins. Il la plaçait sur des coussins teints de pourpre, il l'étendait sur un matelas de plumes, comme si elle pouvait être sensible à la douceur de leur contact.

Arriva le jour de la fête de Vénus. Toute l'île de Chypre célébrait la déesse. On avait immolé des génisses au cou blanc, aux cornes dorées. L'encens fumait sur les autels.

Pygmalion déposa son offrande, puis il dit, d'une voix timide :

« Ô dieux, si vous pouvez vraiment tout nous accorder, faites qu'un jour mon épouse soit semblable à la statue d'ivoire ! »

Il aurait aimé dire « qu'elle soit la statue d'ivoire elle-même », mais il n'osa pas formuler ce vœu étrange.

Vénus, toute d'or vêtue, assistait en personne à la cérémonie. Elle comprit ce que souhaitait le sculpteur et, pour preuve de sa bienveillance envers lui, elle raviva trois fois la flamme qui brûlait sur l'autel et fit jaillir dans l'air une langue de feu.

Pygmalion rentra chez lui et retourna auprès de sa statue. Il se pencha sur elle et l'embrassa. Il lui sembla que le corps était tiède. Il s'approcha davantage, tâta le cou, les épaules, la poitrine : sous ses mains, l'ivoire s'amollit, s'enfonça, prit la consistance de la cire, qui devient molle au soleil et qu'on façonne du pouce, selon sa fantaisie.

Frappé d'étonnement, rempli de joie, d'appréhension, craignant de se tromper, le sculpteur n'en finissait plus de palper le corps aimé. Mais ce corps était bien vivant. Pygmalion sentait battre les veines au contact de ses doigts.

Alors, plein de reconnaissance, il rendit grâce à Vénus et put enfin poser sa bouche sur une bouche véritable.

La jeune fille sentit le baiser. Elle rougit. Elle ouvrit les yeux. Elle vit en même temps le ciel et le visage de celui qui l'aimait.

Vénus présida à leurs noces. Et quand, pour la neuvième fois, la lune montra dans le ciel son visage rond, une petite fille leur naquit, Paphos, qui donna son nom à l'île. Car l'île de Chypre jadis s'appelait ainsi, en souvenir de Pygmalion et de sa statue, devenue femme.

(livre X)

14. La course d'Atalante

Le goût pour la compétition est puissamment ancré chez les Anciens, comme en témoignent plusieurs de ces textes. Mais à lire le récit de la course d'Atalante, à suivre ses péripéties, à entendre les cris de l'assistance, ne se croirait-on pas dans un stade moderne ? Simplement, aujourd'hui, ceux qui perdent ne sont pas mis à mort ; nous ne sommes pas, comme les Romains du temps d'Ovide, habitués aux jeux sanglants du cirque, et aucune divinité digne de Vénus ne vient prêter assistance aux athlètes !

Mollement étendue sur le gazon, à l'ombre d'un peuplier, Vénus avait appuyé sa tête sur la poitrine d'Adonis, celui qu'elle aimait.

Elle entreprit de conter au jeune homme une histoire touchante, afin de lui montrer toute l'étendue de son pouvoir. Elle choisit, pour cela, l'histoire d'Atalante et d'Hippomène. En favorisant leurs amours, elle y avait joué un rôle.

« Atalante était la femme la plus rapide au monde. À la course, elle surpassait tous les hommes. Et si elle l'emportait sur eux, c'était autant par sa beauté que par sa rapidité. Sa réputation était grande dans toute l'Arcadie, où elle demeurait.

Ayant appris par un oracle que, si elle se mariait, un mauvais sort l'attendait, elle décida de vivre seule. À la foule des prétendants, que sa renommée attirait, elle imposa ses conditions : "Si l'un de vous est capable de me vaincre à la course, il aura ma main. Sinon il mourra. Telle est la loi de la compétition."

Cette loi était barbare et la jeune fille se montrait impitoyable, mais les prétendants se pressaient, tant est grand le pouvoir de la beauté.

Hippomène avait pris place comme spectateur de la course.

"Vous êtes bien sots, jeunes gens, disait-il à ceux qui couraient, de risquer votre vie pour conquérir une femme !"

Mais lorsqu'il vit Atalante de près, qu'il put regarder son visage, admirer son corps d'athlète dépouillé de ses voiles, aussi beau que le mien, à moi, Vénus, déesse de la beauté, Hippomène demeura muet. Il finit pas s'écrier :

“Excusez-moi, vous qui courez, de vous avoir critiqués tout à l'heure ! Je ne connaissais pas l'enjeu de la course.”

Tandis qu'il parlait, son cœur s'enflammait – sans doute y étais-je pour quelque chose : ne suis-je pas, avant tout, la déesse de l'amour ? Hippomène souhaitait qu'aucun coureur ne réussît à vaincre la jeune fille ; la jalousie lui faisait redouter le pire.

“Mais pourquoi ne pas tenter ma chance, moi aussi ? se dit-il. Les dieux aiment les audacieux !”

Tandis qu'il se livrait à ces réflexions, Atalante volait au but.

Il était difficile, tant elle était rapide, de la suivre du regard. Hippomène y parvint cependant. Le mouvement rendait la jeune fille encore plus belle. Le vent faisait voltiger, derrière ses chevilles, les rubans de ses sandales, flotter, sur ses épaules, ses cheveux et, derrière ses genoux, les bandelettes brodées qui s'enroulaient autour de ses jambes. Son teint d'ivoire était devenu rose, coloré par la course.

Hippomène remarquait tous ces détails. Pendant ce temps, sur la piste, la dernière borne était franchie. Atalante, victorieuse, posa une couronne sur sa tête et les vaincus subirent leur sort.

Sans manifester la moindre crainte, Hippomène alors se dressa et proposa à la jeune fille de se mesurer à elle.

"Pourquoi, lui dit-il en la regardant dans les yeux, cherches-tu un titre de gloire aussi facile ? Tes concurrents sont bien incapables de te valoir ! Essaie donc avec moi. Si la fortune me favorise et que je gagne, tu n'auras pas à rougir de moi. Mon père est roi en Béotie, Neptune est mon aïeul et ma valeur égale ma naissance. Si je suis vaincu, ta victoire te vaudra une renommée immense."

La jeune fille écoutait Hippomène. Elle posait sur lui un regard plein de douceur et se demandait si elle préférait le voir vaincu ou vainqueur.

"Pourquoi veut-il courir à sa perte ? se demandait-elle. Je ne vaux pas un prix pareil ! Comme il m'émeut... Non, ce n'est pas sa beauté qui me touche, c'est son âge... Il n'est encore qu'un enfant... Et que dire de son courage ! Quand je pense qu'il attache un tel prix au bonheur d'être mon époux, si bien qu'il préfère mourir plutôt que de renoncer à moi !... Non, étranger, va-t'en ! Il en est encore temps. Tu trouveras facilement une autre femme... Je me demande bien pourquoi je m'intéresse autant à lui, moi qui ai provoqué la mort de tant d'hommes ! Qu'il meure donc, puisqu'il tient si peu à la vie ! Ce sera une mort injuste, mais personne ne pourra m'accuser... Si seulement les dieux lui conseillaient de renoncer... ou même lui donnaient la victoire... Ah ! je voudrais qu'il ne m'ait jamais vue !... Si l'oracle ne s'opposait à mon mariage, il est le seul que j'accepterais pour époux."

Ainsi Atalante monologuait-elle et, dans son innocence, pour la première fois de sa vie touchée par l'amour, elle ne se rendait pas compte que, déjà, elle aimait.

Cependant, dans le stade, le peuple et les nobles s'impatientaient. Ils attendaient le début de la course. Hippomène, inquiet, s'adressa alors à moi :

"Déesse de l'amour, Vénus, je t'en supplie, aide-moi, toi qui as fait naître dans mon cœur la passion que j'éprouve !"

La prière d'Hippomène me flatta, je l'avoue, mais je n'avais que peu de temps pour lui venir en aide. Je rentrais de Chypre, où je m'étais promenée sur des terres qui me sont consacrées. Là, au milieu d'un champ, s'élève un arbre extraordinaire. Son feuillage a des reflets fauves, sa ramure crépite, il porte des fruits d'or. Je venais justement de cueillir, de ma main, trois pommes.

J'arrivai sur le lieu de la course et, comme personne ne m'avait vue, je m'approchai d'Hippomène, lui donnai les trois pommes d'or, en lui expliquant comment s'en servir.

À ce moment, les trompettes donnent le signal du départ. Les deux athlètes, penchés en avant, franchissent la barrière en bondissant ; à peine si leurs pieds effleurent le sable.

Les spectateurs sont favorables à Hippomène. Ils crient :

"Vas-y ! Dépêche-toi ! C'est maintenant ou jamais ! Plus vite ! Encore plus vite ! Ne ralentis pas, tu vas gagner !"

À ces cris d'encouragement, l'ardeur du jeune homme redouble. La jeune fille aussi se réjouit. Elle détache à regret ses yeux du visage d'Hippomène, et même, plusieurs fois, sur le point de le dépasser, elle ralentit.

Mais la borne est bien loin. Hippomène se fatigue. La bouche desséchée, il halète. Enfin il se décide à lancer le premier fruit que je lui ai donné. Atalante est surprise. La pomme brillante lui fait envie. Elle se détourne de sa course et ramasse le fruit qui roulait. Hippomène la dépasse ; le stade entier vibre sous les applaudissements.

Atalante accélère son allure, regagne son retard et dépasse le jeune homme, qui envoie la deuxième pomme. Retardée à nouveau par le fruit qu'elle ramasse, à nouveau Atalante rejoint Hippomène, à nouveau le dépasse. Et voici la dernière partie de la compétition.

Le jeune homme s'adresse encore à moi :

“Au secours, Vénus, toi qui m’as fait ce présent... aide-moi, c’est le moment !”

Et pour retarder davantage Atalante, Hippomène envoie la pomme le plus loin qu’il peut, sur le côté de la piste. La jeune fille hésite à aller la chercher. Moi, Vénus, je l’y oblige et, afin de la ralentir davantage, je rends le fruit plus lourd...

Enfin, pour ne pas allonger mon récit plus que la course elle-même, sache, mon cher Adonis, qu’Atalante fut distancée et qu’Hippomène reçut le prix de sa victoire.

Comme tu peux le constater, s’ils furent unis, c’est grâce à mon pouvoir... »

(livre X)

15. Les mésaventures du roi Midas

Encore une compétition, de musique cette fois ! Mais le perdant n'est pas celui que l'on croit : le perdant, c'est ce nigaud de roi Midas qui a préféré Pan, un musicien champêtre, au grand Apollon, l'artiste suprême. Pour punir le sot, le dieu ne se montre pas méchant. Il fait seulement preuve de malice. L'histoire contée par Ovide avec grâce a tellement plu qu'elle a donné lieu à d'innombrables versions, dans tous les pays, à toutes les époques...

Lorsque Bacchus, le dieu du vin, eut puni les Bacchantes qui avaient massacré Orphée, il s'éloigna vivement de la Thrace, suivi par une troupe moins cruelle. Il gagna l'Asie mineure, pour s'arrêter en Lydie, sur ses coteaux couverts de vignes, près de son fleuve, le Pactole.

Le Pactole a aujourd'hui la réputation de rouler dans ses eaux des paillettes d'or. Ce n'était pas le cas à cette époque. Ses flots étaient limpides et personne ne convoitait son précieux sable.

Comme à l'accoutumée, le dieu du vin était accompagné par des Satyres et des Bacchantes. Mais Silène, qui faisait toujours partie du cortège, Silène, le vieux maître qui avait élevé Bacchus enfant, Silène était absent. Où était-il passé ?

Eh bien, un jour que le vieillard titubait sur la route, sous l'effet de l'âge et du vin, des paysans s'étaient emparés de lui, l'avaient enchaîné avec des guirlandes de fleurs et ils avaient conduit leur prisonnier au roi de la Phrygie, Midas.

Le roi était initié aux mystères de Bacchus. Il reconnut aussitôt en Silène le compagnon du dieu. En l'honneur de son hôte, il offrit un joyeux festin, qui dura dix jours... et dix nuits !

Au début du onzième jour, alors que Lucifer, l'étoile du matin, quittait le ciel, emmenant le troupeau des autres étoiles, le roi partit allégrement pour la Lydie et rendit Silène à son ancien élève, le jeune dieu du vin.

Pour remercier Midas, Bacchus proposa à celui-ci de choisir la récompense qu'il voulait. Proposition généreuse, mais dangereuse pour un mortel !

« Je voudrais, dit le roi, que tout ce que je touche devienne or. »

Bacchus aurait préféré que Midas fît un vœu plus raisonnable, mais il lui accorda ce qu'il demandait.

Midas, tout réjoui, retourne dans son royaume. Les objets qu'il trouve en chemin, il les touche, branche, caillou, motte de terre, épis fraîchement moissonnés, fruits... : ils se transforment en bijoux, en lingots. Si ses doigts frôlent les montants d'une porte, ceux-ci se mettent à rayonner. Quand il se lave les mains, l'eau qui coule devient ruisseau doré. Il a peine à mesurer tout ce qu'il va pouvoir réaliser avec tant d'or.

Comme l'heure du repas arrive, ses serviteurs déposent devant lui des mets de toutes sortes, du pain grillé, don de Cérès, des coupes où l'on a mêlé à l'eau du vin, don de Bacchus, son bienfaiteur.

Hélas ! Tout ce que Midas veut manger est recouvert d'une feuille d'or ; le pain, don de Cérès, durcit, dès qu'il le saisit ; de l'or liquide ruisselle de sa bouche, à la place du vin, don de Bacchus. Le roi a faim, une soif insupportable brûle son gosier. Et il maudit cet or qu'il a tant désiré.

Il lève au ciel ses bras dorés et s'écrie :

« Pardonne-moi, dieu de la vigne, dieu du pressoir, ô Bacchus, j'ai eu tort ! Aie pitié de moi et retire-moi ce don, qui porte malheur sous son aspect trompeur ! »

Les dieux ne sont pas insensibles aux peines des humains. Bacchus annule le don qu'il a fait au roi imprudent et lui conseille d'aller se laver dans la source bouillonnante du Pactole. Midas obéit : l'or passe du corps de l'homme aux eaux du fleuve. C'est depuis ce jour-là que le Pactole charrie de l'or.

C'est aussi depuis ce jour-là que le roi Midas a pris en horreur les richesses. Il n'aime plus que la campagne, les forêts ; il voue un culte à Pan, divinité des champs et des troupeaux. Mais son esprit épais va lui jouer encore un mauvais tour.

Pan demeurait sur les pentes du Tmolus, un mont qui se dresse jusqu'aux nuages, bien au-dessus de la mer. Le dieu des champs jouait des airs aimables sur sa flûte, faite de roseaux inégaux. Des nymphes l'entouraient, enchantées par ses mélodies rustiques, et Midas l'écoutait, ravi. Si bien qu'un beau jour Pan, flatté d'une telle attention, osa se comparer à Apollon, le dieu de la musique. Il invita même, en des termes méprisants, celui-ci à venir concourir avec lui ; le mont Tmolus leur servirait de juge. Apollon accepta.

Le Tmolus a l'aspect d'un vieillard majestueux. Sa propre montagne lui sert de trône. Il s'assoit. Il dégage ses oreilles des arbres qui l'encombrent, afin de mieux entendre. Sa chevelure sombre est couronnée par de simples feuilles de chêne et des glands pendent le long de ses joues creuses.

« Le juge est prêt », dit-il à Pan.

Le dieu des troupeaux prend sa flûte et les airs champêtres qu'il en tire charment les oreilles de Midas qui, bien sûr, se trouve là.

Lorsque Pan a fini, le vieux Tmolus se tourne vers Apollon et la forêt qui l'entoure suit son mouvement.

Apollon se prépare. Une couronne de lauriers est posée sur sa tête blonde, sa longue robe pourprée touche le sol. Il tient de la main gauche sa lyre, ornée de pierres précieuses, de la main droite le plectre, fine baguette dont il se sert pour pincer les cordes de l'instrument.

Son attitude est celle d'un grand artiste. Du pouce il effleure savamment les cordes et la douceur de ses accords séduit le vieux juge. Tmolus décide que la lyre l'emporte sur les roseaux rustiques, que Pan doit s'incliner devant le dieu de la musique.

Tous ceux qui assistent à la scène approuvent ce jugement. Tous, sauf Midas qui s'insurge, discute et prétend que la décision est injuste.

Apollon ne peut supporter que des oreilles aussi stupides que celles du roi gardent une forme humaine. Il les allonge, les parsème de poils gris, les rend mobiles : bref, ce sont des oreilles d'âne !

Pour cacher sa honte aux yeux de ses sujets, le roi Midas porte un bonnet très haut, très enveloppant, de couleur pourpre. Pourtant son barbier, parce qu'il lui coupe les cheveux, connaît son secret.

Le malheureux barbier n'ose le dire à personne, mais il ne peut tenir sa langue. Il finit par creuser un trou, dans un coin de campagne isolé, et, tout bas, confie à la terre ce qu'il sait. Puis il recouvre soigneusement le trou et s'éloigne, soulagé, sûr que ce secret ne sera jamais divulgué.

Or voici que des roseaux poussent, juste à l'endroit où la terre a été remuée. Au bout d'un an, lorsqu'ils ont atteint toute leur taille, le vent qui les balance répète les mots enfouis dans le sol.

Et désormais, dans le royaume, tout le monde sait que le roi Midas a des oreilles d'âne !

(livre XI)

16. Pomone et Vertumne

Avec ce conte, nous voici dans le monde romain. Nous sommes en Italie, comme le prouvent le décor de jardins soigneusement entretenus et l'habitude de faire courir les branches de la vigne d'un arbre à l'autre. Silvain, Pomone et Vertumne sont de vieilles divinités champêtres des pays latins. Le premier protège les champs, la deuxième aide à la culture des vergers et le troisième préside à la cueillette des fruits. En outre, Vertumne est célèbre pour sa capacité à changer d'aspect. Quant à l'histoire de ses amours avec Pomone, elle semble bien être de l'invention d'Ovide.

De toutes les nymphes du Latium, aucune n'aimait autant les vergers que Pomone, aucune ne savait aussi bien les cultiver. De là venait son nom – *pomum* en latin signifiant « fruit ». Elle se moquait bien des fleuves et des forêts, non, ce qu'elle appréciait, c'étaient la campagne et les branches ployant sous les fruits. Elle ne portait pas à la main un javelot pesant, mais une petite serpe avec laquelle elle coupait les rejets, émondait les arbres au feuillage trop exubérant ou bien fendait leur écorce pour y greffer le bourgeon d'un autre arbre. Et jamais elle ne laissait les plantes souffrir de la soif ; elle arrosait avec l'eau des rivières leurs racines profondes.

Tout occupée par ces travaux, Pomone ne songeait pas à l'amour. Elle n'avait nulle envie de le connaître. Craignant d'être agressée par les êtres qui peuplent les campagnes, hommes ou dieux, elle fermait son verger et le verrouillait de l'intérieur.

Satyres dansants, Pans aux cornes ornées de pin, le vieux Silène oubliant son âge, et Silvain, ce dieu toujours affolé d'amour, dont la statue effraie les voleurs, toutes les divinités champêtres avaient vainement tenté de l'apprivoiser. Et le dieu Vertumne, qui l'aimait encore plus qu'eux, n'était pas plus heureux.

Pourtant que de fois, transformé en moissonneur, il avait apporté à la nymphe un panier plein d'épis, que de fois il s'était mis du foin dans les cheveux pour avoir l'air d'un faucheur ! Ou bien, un aiguillon à la main, il donnait l'impression d'avoir tout juste dételé ses bœufs. Avec une serpe, il semblait sur le point de tailler sa vigne ; avec une échelle, prêt à cueillir ses fruits ; avec une épée, c'était un soldat ; avec un roseau, un pêcheur à la ligne. Enfin, grâce à ses innombrables déguisements, il parvenait souvent à approcher Pomone et il pouvait au moins contempler sa beauté.

Il se changea même en une vieille femme qui, s'appuyant sur un bâton, ses cheveux blancs tenus par un bandeau brodé, entra dans le jardin, admira la façon dont il était entretenu et l'abondance des fruits. Tout en complimentant Pomone, la fausse vieille lui donnait des baisers... qui n'étaient pas ceux d'une grand-mère ! Elle finit par s'asseoir par terre, le dos voûté, les yeux levés sur les branches pliant sous les dons de l'automne. Il y avait là un orme, plein de grappes de raisin brillantes, car une vigne s'enroulait autour de lui.

« Vois, dit la vieille à la nymphe, si cet orme était solitaire, il ne nous offrirait que des feuilles sans fruits. Si cette vigne, qui s'attache à ses branches, n'avait pas été mariée avec lui, elle tomberait sur le sol. Et toi, tu ne veux pas prendre exemple sur eux ! Tu refuses tous ceux qui souhaitent t'épouser ! Si tu voulais, tu aurais plus de prétendants que la belle

Hélène ou que Pénélope, la femme d'Ulysse. Mais non, qu'ils soient hommes, dieux ou demi-dieux, habitant près d'ici dans les collines d'Albe, tu les dédaignes tous...

Écoute-moi, si tu es sage, si tu veux être heureuse en mariage, écoute la vieille femme que je suis, moi qui ai pour toi plus d'affection qu'eux tous, plus que tu ne t'en doutes... Crois-moi, choisis Vertumne pour époux. Ses qualités, je les connais au moins aussi bien que lui-même... Je peux te garantir que, lui, il ne court pas les aventures amoureuses dans le monde entier : il habite près d'ici. Il n'est pas du genre à s'éprendre de la dernière femme entrevue. À toi seule, il consacrera sa vie. Tu seras son premier et son dernier amour. Et puis il est jeune, il est beau, il est capable de prendre toutes les formes qu'il te plaira de lui faire prendre. En outre, vous avez les mêmes goûts : comme toi, il aime les fruits et les jardins.

Mais ce qu'il désire à présent, ce ne sont pas les fruits savoureux de ton verger, qu'il se plaît à tenir dans ses mains : c'est toi seule qu'il veut. Aie pitié de lui, c'est par ma bouche qu'il te le demande. Et prends garde à Vénus, déesse de l'amour, à Némésis, divinité de la vengeance : elles détestent les cœurs impitoyables. Elles vont jusqu'à métamorphoser en pierre les filles cruelles qui repoussent leurs amoureux. On peut voir une de ces statues dans le temple de Salamine.

Pense à elles, ma Pomone. Ma nymphe chérie, accepte l'amour qui s'offre à toi. Puisse alors la gelée du printemps ne pas brûler tes fruits naissants, puisse le vent ne pas disperser les fleurs de tes arbres ! »

Vertumne se tut. Il se disait que son discours de vieille femme ne servait à rien. Il ôta son déguisement et redevint un jeune homme resplendissant, comme le soleil repoussant les nuages qui le voilent.

Pour venir à bout de la nymphe, il s'apprêtait à employer la force. Ce ne fut pas nécessaire. En voyant le dieu apparaître dans sa beauté, Pomone ressentit au cœur, elle aussi comme lui, la douce blessure de l'amour.

(livre XIV)

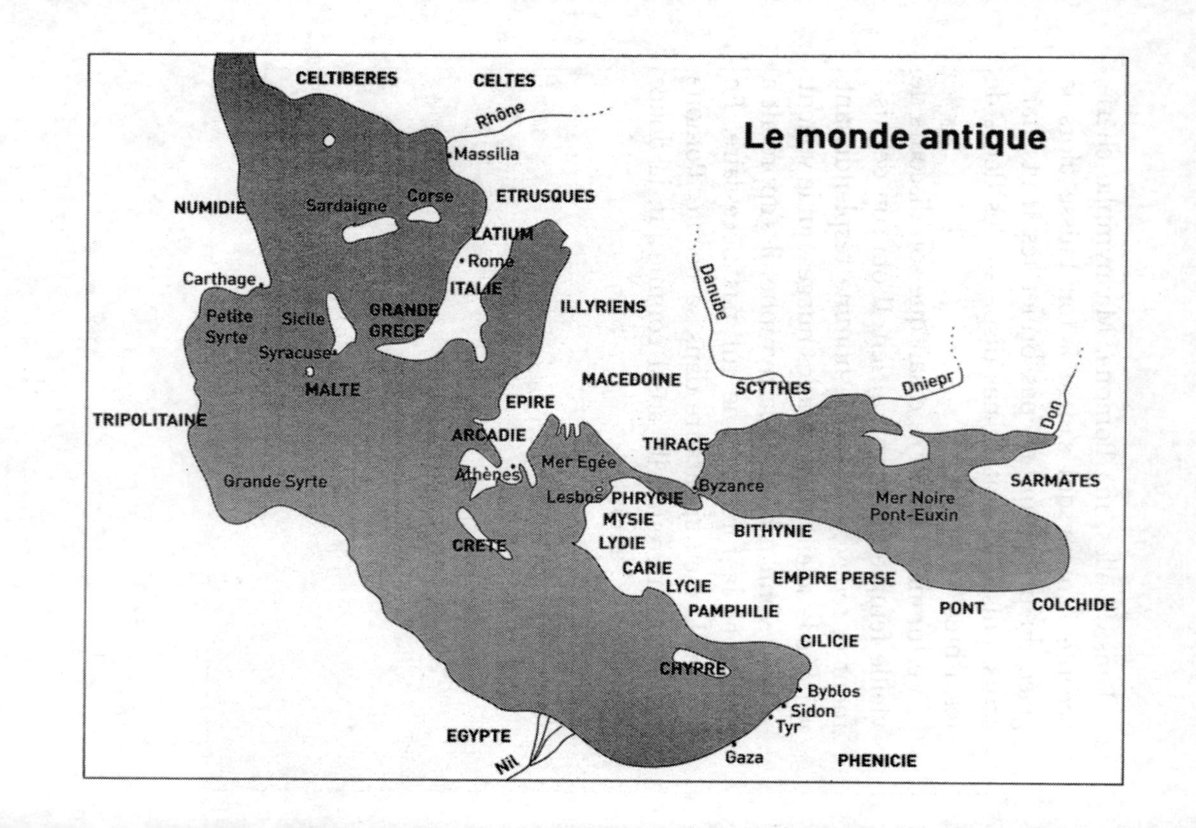
Le monde antique
CELTIBERES
CELTES
Rhône
Massilia
Corse
ETRUSQUES
NUMIDIE
Sardaigne
LATIUM
Rome
Carthage
ITALIE
Petite
Syrte
Sicile
GRANDE
GRECE
ILLYRIENS
Danube
Syracuse
MALTE
MACEDOINE
SCYTHES
Dniepr
Don
EPIRE
TRIPOLITAINE
ARCADIE
THRACE
Mer Egée
Athènes
Grande Syrte
Byzance
SARMATES
Lesbos
PHRYGIE
Mer Noire
Pont-Euxin
MYSIE
BITHYNIE
CRETE
LYDIE
CARIE
LYCIE
EMPIRE PERSE
PAMPHILIE
PONT
COLCHIDE
CILICIE
CHYPRE
Byblos
Sidon
Tyr
EGYPTE
Nil
Gaza
PHENICIE

Le bassin méditerranéen

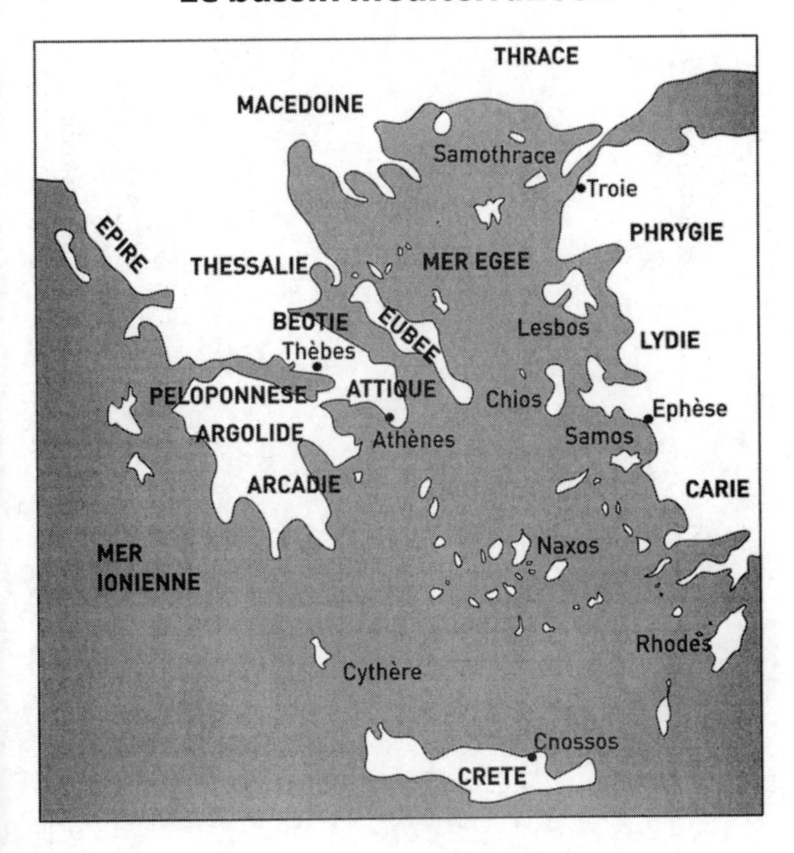

Index des noms de dieux et figures mythologiques

Apollon : fils de Jupiter et de Latone, frère jumeau de Diane. Dieu de la poésie et de la musique. Couronné de lauriers, il tient à la main une lyre.

Aréthuse : nymphe d'une source située sur la côte est de la Sicile.

Argus : géant aux cent yeux, au service de Junon. Gardien d'Io métamorphosée en vache.

Atlas : Titan, doué d'une force prodigieuse, capable de porter la terre sur son dos. Transformé en montagne par Persée, auquel il a refusé l'hospitalité.

Bacchus : fils de Jupiter et de Sémélé. Dieu du vin et du théâtre. Sur son char tiré par des tigres et des lynx, il parcourt l'Asie et l'Europe pour apprendre aux hommes à cultiver la vigne. Il est suivi par les Satyres et les Bacchantes. Il a pour attribut le thyrse, bâton autour duquel s'enroulent la vigne et le lierre, surmonté par une pomme de pin. (En grec, Dionysos.)

Calliope : muse de l'éloquence et de la poésie héroïque. Mère d'Orphée.

Cerbère : chien à trois têtes hérissées de serpents. Gardien de l'entrée des Enfers.

Cérès : sœur de Jupiter, mère de Proserpine. Déesse de la terre cultivée et des moissons. (En grec, Déméter.)

Cupidon : ou l'Amour, fils de Vénus. Souvent représenté sous les traits d'un enfant tenant un arc et des flèches. (En grec, Éros.)

Cyané : nymphe d'une source située sur la côte est de la Sicile.

Diane : fille de Jupiter et de Latone, sœur jumelle d'Apollon. Déesse de la chasse et de la lune. (En grec, Artémis.)

Io : nymphe, fille du fleuve Inachus. À cause de la jalousie de Junon, elle est transformée en génisse. Redevenue femme, elle se confond avec la déesse égyptienne Isis, représentée avec un corps de femme, la tête surmontée par des cornes de vache.

Iris : messagère des dieux. Elle a pour symbole l'arc-en-ciel.

Isis : déesse égyptienne. Femme d'Osiris, mère d'Horus. D'abord considérée comme magicienne et guérisseuse, elle devient par la suite mère universelle et son culte se répand en Grèce, puis à Rome.

Junon : épouse de Jupiter, dont elle partage la souveraineté. Rancunière et jalouse à l'égard de ses rivales, les femmes aimées de Jupiter. Son animal favori est le paon. (En grec, Héra.)

Jupiter : roi des dieux, maître du ciel. Il demeure en haut de l'Olympe. Son arme est la foudre. (En grec, Zeus.)

Lucifer : l'étoile du matin.

Mercure : fils de Jupiter et de Maia. Messager des dieux. Serviable et rusé, dieu du commerce, des voyageurs et des voleurs. Il porte aux pieds des sandales ailées, sur la tête une coiffure ailée, elle aussi, et à la main un caducée, bâton ailé autour duquel s'enroulent deux serpents. (En grec, Hermès.)

Minerve : sortie tout armée de la tête de son père, Jupiter, dont elle est la fille préférée. Déesse de la guerre, de la sagesse, des sciences et des arts domestiques. Protectrice d'Athènes, ville à laquelle elle a donné son nom après avoir offert en cadeau aux Grecs l'olivier. La chouette est son animal favori. (En grec, Pallas, Athéna.)

Némésis : déesse de la vengeance divine. Elle punit les hommes qui ont un orgueil démesuré et se livrent à des excès.

Neptune : frère de Jupiter et de Pluton. Roi de la mer, des fleuves et des étangs. Puissant et coléreux, il peut ébranler la terre de son trident. C'est lui qui a fait don du cheval aux Grecs. Le cyclope Polyphème est l'un de ses fils. (En grec, Poséidon.)

Notus : vent du sud, qui apporte la pluie.

Phébus : le Soleil. Il conduit son char à travers le ciel, d'est en ouest, avant de plonger dans la mer. Habituellement Phébus se confond avec Apollon, mais pour Ovide il s'agit de deux divinités distinctes.

Pluton : frère de Jupiter, époux de Proserpine. Roi des Enfers, il vit dans le monde souterrain où descendent les ombres des morts. Mystérieux et sombre. Son trône est d'ébène, son char est tiré par des chevaux noirs. Son animal favori est le serpent. (En grec, Hadès.)

Pomone : divinité rustique, d'origine latine. Protège les vergers.

Prométhée : Titan, frère d'Atlas, père de Deucalion. On dit qu'au commencement du monde il créa l'homme à partir de la terre glaise. Il protégea toujours les humains, vola pour eux le feu et les aida à se civiliser.

Proserpine : fille de Cérès et de Jupiter, elle fut enlevée par son oncle Pluton, qui l'épousa. Elle règne à ses côtés dans les Enfers pendant six mois et pendant six mois remonte à la surface de la terre, près de sa mère. (En grec, Perséphone.)

Silène : satyre, gras, laid et souvent ivre, mais sage et gai. C'est lui qui éduqua Bacchus.

Styx : à l'origine, nymphe du fleuve qui entoure les Enfers, puis ce fleuve lui-même. Le serment par le Styx est irrévocable.

Téthys : divinité marine qui donna naissance aux fleuves et aux nymphes des eaux.

Thémis : déesse de la justice. Elle rend des oracles.

Titan : sorte de géant primitif, qui incarne une force naturelle.

Triton : fils de Neptune, dieu marin qui soulève ou apaise les flots au son de sa conque.

Vénus : déesse de la beauté et de l'amour. Née de l'écume de la mer. Épouse de Vulcain, mère de Cupidon. Ses fleurs sont la rose et le myrte, son animal favori, la colombe. Son culte est célébré surtout dans l'île de Chypre. (En grec, Aphrodite.)

Vertumne : dieu latin des fruits. Capable de changer de forme.

Vulcain : fils de Junon et de Jupiter, époux mal aimé de Vénus. Dieu du feu et de la forge. (En grec, Héphaïstos.)

Françoise Rachmuhl

L'auteur aime les contes depuis toujours. Elle aime les écouter dès son enfance lorraine, les inventer, les lire. Plus tard, elle se mettra à en écrire. Au cours de ses nombreux voyages, elle a recueilli récits traditionnels et légendes, dits ou publiés en français ou en anglais (elle a séjourné aux États-Unis). Elle a publié pour la jeunesse une dizaine de recueils de contes de différents pays ou des provinces de France. Après avoir longtemps travaillé dans l'édition scolaire, elle anime actuellement dans des classes des ateliers d'écriture de contes ou de poésie.

Frédéric Sochard

L'illustrateur est né en 1966. Après des études aux Arts Décoratifs, il travaille comme infographiste et fait de la communication d'entreprise, ce qui lui plaît beaucoup moins que ses activités parallèles de graphiste traditionnel : création d'affiches et de pochettes de CD. Depuis 1996, il s'auto-édite et vend « ses petits bouquins », de la poésie, sur les marchés aux livres... Pour le plaisir du dessin, il s'oriente désormais vers l'illustration de presse et la jeunesse. Et avec tout ça, il a trouvé le temps de faire plusieurs expositions de peinture...

POUR EN SAVOIR PLUS

LES MONSTRES DES *MÉTAMORPHOSES*

Par Fatima Aït Bounoua

Ils s'appellent Méduse, Cerbère ou Titans. Leur apparence et leurs pouvoirs sont terrifiants. Ce sont des *monstres*, c'est-à-dire des créatures fabuleuses et effrayantes, qui fascinent autant qu'elles repoussent.

Sais-tu pourtant que ces figures ne sont pas les seuls monstres des *Métamorphoses* ? Ceux-ci sont partout dans l'œuvre d'Ovide, car la métamorphose (du latin *metamorphosis*, « changement de forme ») résulte toujours d'une intervention divine, exprime la volonté des dieux. Par conséquent, elle est un monstre, au sens qu'on donne à ce mot dans l'Antiquité.

En effet, le *monstrum* latin (dérivé de *monere*, qui signifie « attirer l'attention sur », « avertir ») relève du vocabulaire religieux et désigne une manifestation divine, qu'elle soit heureuse ou non. Toutes les métamorphoses sont donc monstrueuses au sens étymologique, autrement dit des signes divins à décrypter !

De la créature maléfique au prodige divin, en passant par le monstre caché dans l'humain, ces pages t'invitent à explorer les différentes facettes du monstre dans l'œuvre d'Ovide, pour déchiffrer le sens qu'il revêt et mieux comprendre les enjeux du texte.

LE MONSTRE, OU LA CRÉATURE FABULEUSE

Commençons par un peu d'histoire de la langue ! Issu du latin *monstrum*, le mot « monstre » apparaît en français au XIIe siècle. Si le sens latin subsiste d'abord, la langue française distingue bientôt le miracle, prodige heureux, et le monstre, prodige néfaste. Et c'est au XVIe siècle que le mot prend une signification plus générale pour désigner une créature mythologique, un être surnaturel. Ce sens (auquel s'ajoutera celui plus tardif de créature mal faite, « anormale ») est celui qui nous intéresse dans un premier temps. Ces figures fantastiques sont nombreuses dans *Les Métamorphoses*. À quoi ressemblent-elles ? Ont-elles des points communs ? Quel rôle jouent-elles dans le texte ?

DES CRÉATURES GIGANTESQUES ET COMPOSITES

Généralement, ces monstres se caractérisent par leur taille et leur constitution. En effet, ils sont souvent gigantesques. Ainsi, après avoir affronté le géant Atlas, « Titan fils d'un Titan » (p. 62), le héros Persée fait face à un monstre marin qu'Ovide compare à un « puissant navire » (p. 65). C'est dire sa taille impressionnante ! En plus d'être très grands, ces êtres sont hybrides, c'est-à-dire qu'ils sont composés d'un mélange d'éléments ou d'êtres différents. Le centaure (p. 90) est une créature moitié homme et moitié cheval ; Méduse a la tête d'une femme et des « cheveux de serpents » (p. 62). Leurs organes sont parfois multipliés. C'est le cas pour Argus, géant qui voit tout grâce à ses cent yeux (p. 23),

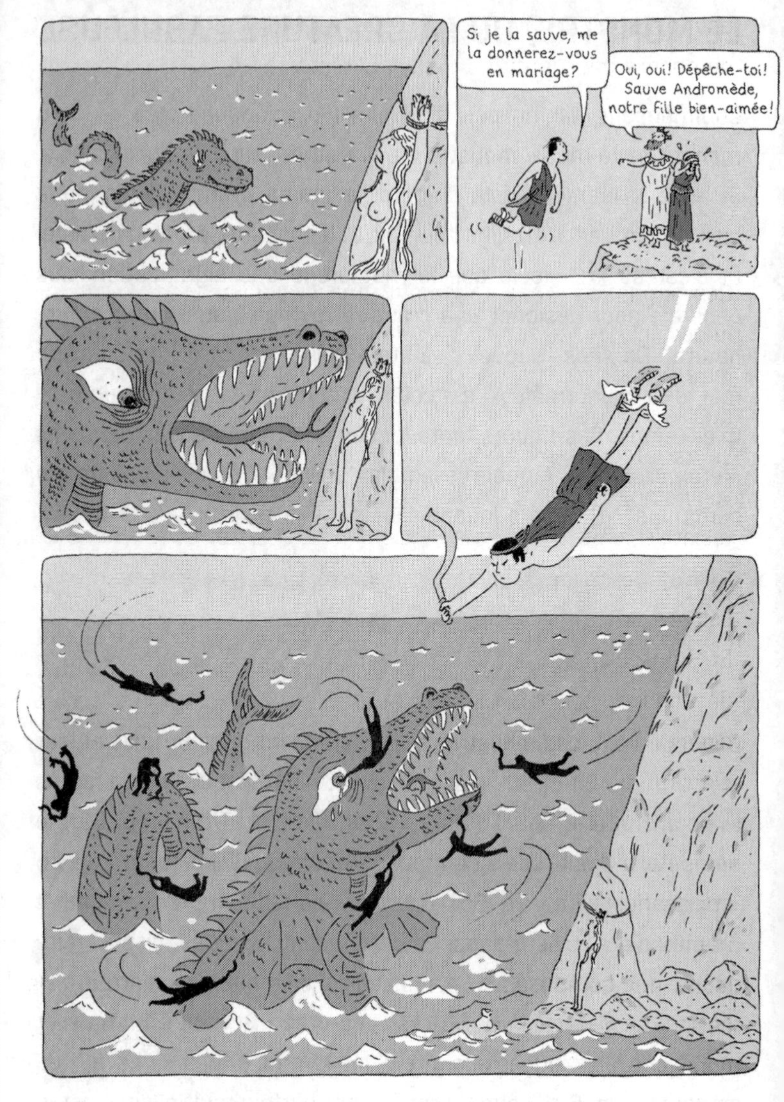

Béatrice Bottet, Ariane Pinel, *La Mythologie en BD, Les Métamorphoses d'Ovide*, Bruxelles, Casterman, 2016, p. 33.

pour Cerbère, le chien à trois têtes, gardien des Enfers [p. 119], ou encore pour le dragon « à triple langue » [p. 99].

DES ÊTRES FÉROCES ET EN APPARENCE INDOMPTABLES

Ces monstres sont tellement impressionnants qu'il semble impossible de leur résister et de les maîtriser. Leurs descriptions insistent sur leur force. Par contraste, la vulnérabilité des héros qui les affrontent se trouve soulignée [tout comme leur courage]. Le narrateur lui-même semble douter de la capacité de Persée à venir à bout du géant Atlas : « Atlas bousculait le jeune homme, qui résistait comme il pouvait – mais peut-on lutter contre Atlas ? » [p. 63]. Personne ne peut lutter contre Atlas ! Cette question n'en est pas une, tant l'invincibilité du monstre paraît certaine.

Et pourtant, comme Persée, nombreux sont les héros à tenter de dominer ces créatures féroces. Bien plus, contre toute évidence, ils en triomphent au terme de combats énergiques, semblables à ceux qu'on trouve dans les grandes épopées comme *L'Énéide* de Virgile, contemporain d'Ovide. Les verbes d'action et les détails macabres permettent au lecteur de mesurer tous les efforts déployés par le héros. Après qu'il a transformé Atlas en montagne, Persée affronte le monstre marin qui veut dévorer la jeune Andromède. Face à Persée, la bête « se dresse hors de l'eau, [...] plonge dans la mer, se tourne, se retourne, ouvre la gueule pour attraper le jeune homme, qui lui échappe d'un coup d'aile et qui, ensuite, redescend, frappant de son épée tranchante comme une faux, à coups redoublés, partout où le monstre se découvre, frappant le dos couvert de coquillages, frappant les flancs, frappant la queue aussi mince que celle d'un poisson. La bête vomit de l'eau mêlée de sang, dans de grands bouillonnements » [p. 66].

LES FAIRE-VALOIR DES HÉROS

Parce qu'ils leur donnent l'occasion de montrer leur valeur et leur vaillance, les monstres permettent aux héros de se distinguer des autres hommes : il y a d'un côté ceux qui les fuient [le plus grand nombre] et de l'autre celui qui leur résiste [souvent unique]. Quand le monstre marin envoyé par Neptune s'apprête à dévorer Andromède, la jeune princesse enchaînée crie, ses parents se lamentent et Phinéus, le prétendant officiel d'Andromède, se garde bien d'intervenir. Contrairement à eux, Persée conserve son sang-froid, s'oppose au sacrifice de la jeune femme, lutte et triomphe. Le père d'Andromède ne manque pas de souligner la lâcheté de Phinéus : « Qu'as-tu fait pour secourir Andromède [...] ? Si elle t'était si précieuse, pourquoi n'es-tu pas allé la chercher sur ce roc où elle était attachée ? » [p. 69]. Le manque de courage de Phinéus vient souligner la hardiesse de Persée. Pour ce personnage, la confrontation au monstre revêt donc un caractère initiatique. Elle est aussi une épreuve qui mène à une récompense. Avant de combattre, Persée négocie avec les parents d'Andromède le droit d'épouser la princesse et d'obtenir un royaume s'il réussit à sauver la jeune femme. Ils acceptent et tiendront promesse. Si Persée formule ses conditions, celles-ci sont parfois déterminées à l'avance pour le héros, qui les connaît avant même de découvrir le monstre. C'est le cas pour tous ceux qui convoitent la Toison d'Or : « celui qui voulait s'en emparer devait subir une série d'épreuves : atteler à une charrue des taureaux menaçants ; semer dans le sol labouré les dents d'un serpent, d'où sortiraient des guerriers tout armés qu'il faudrait combattre ; enfin se mesurer à un affreux dragon, gardien toujours éveillé de la Toison » [p. 94]. Trois épreuves ponctuées par trois rencontres avec des monstres constituent donc les étapes d'un cheminement vers la gloire.

Et le monstre vaincu devient une médaille pour le héros, témoignant de son mérite. Phinéus, l'adversaire jaloux de Persée, ne s'y trompe pas, lorsqu'il indique au sujet de la tête de Méduse qu'arbore son rival : « Éloigne de nous ton monstre. [...] Je reconnais ta valeur » [p. 73]. L'emploi de l'adjectif possessif « ton » signale l'appartenance du monstre au héros qui en a triomphé.

Béatrice Bottet, Ariane Pinel, *La Mythologie en BD, Les Métamorphoses d'Ovide*, *op. cit.*, p. 9.

LE MONSTRE CACHÉ, OU LE MONSTRE DANS L'HOMME

Les êtres fabuleux, totalement distincts de l'homme, ne sont pas les seules figures monstrueuses dans l'œuvre d'Ovide. Celui-ci révèle également chez les hommes des comportements féroces, dignes des pires créatures fantastiques. Par leurs actes ou leurs défauts, ces personnages sont à proprement parler inhumains. Dénués des qualités essentielles de raison et de sensibilité, ils deviennent monstrueux. Le monstre se révèle alors dans l'homme. D'ailleurs, à certains égards, les origines de l'homme ne sont-elles pas « monstrueuses » dans *Les Métamorphoses* ? Et certains personnages, parce qu'ils ont des qualités extraordinaires, inhumaines, ne seraient-ils pas eux aussi des monstres ?

DES DÉFAUTS MONSTRUEUX

● Lycaon transformé en loup

La planche reproduite ci-contre appartient aux aventures de Lycaon présentes dans une adaptation des *Métamorphoses* en bande dessinée. C'est l'occasion pour toi de découvrir une métamorphose qui ne figure pas dans ton recueil [celui-ci t'offre en effet une sélection dans l'œuvre très riche d'Ovide]. Lycaon est le roi d'Arcadie. C'est un tyran très violent qui méprise les dieux. Pour le mettre à l'épreuve, Jupiter lui rend visite déguisé en mendiant. Se moquant de toutes les règles d'hospitalité, Lycaon tente, en vain, de tuer son hôte pendant son sommeil. Le lendemain, il fait cuisiner pour son invité de la chair humaine. Pour le punir,

Jupiter le transforme en loup [il décidera de punir également la « race humaine », dont il déplore les défauts, et fera disparaître le royaume d'Arcadie, avant de détruire l'humanité entière]. En transformant Lycaon en un loup féroce, Jupiter rend apparent le monstre caché dans l'homme. Ce premier « loup-garou » est la manifestation visible de la violence et du mal que l'être humain portait en lui.

● Midas et le bonnet d'âne

Le choix de la métamorphose n'est pas hasardeux pour Lycaon. Il ne l'est pas non plus pour Midas, à qui poussent des oreilles d'âne. Lors d'un concours de musique opposant les dieux Pan et Apollon, Midas soutient aveuglément son idole Pan alors qu'Apollon est objectivement le meilleur, si bien qu'« Apollon ne peut supporter que des oreilles aussi stupides que celles du roi gardent une forme humaine. Il les allonge, les parsème de poils gris, les rend mobiles : bref, ce sont des oreilles d'âne ! » [p. 142]. Midas devient un monstre, un être hybride ; ses oreilles d'âne sont la marque de sa bêtise, elles en sont une *allégorie* [elles représentent d'une façon concrète une idée abstraite].

Ainsi Apollon dévoile-t-il à tous le défaut du roi Midas qui, « pour cacher sa honte aux yeux de ses sujets, [...] porte un bonnet très haut, très enveloppant, de couleur pourpre ».

Malgré ses stratagèmes, Midas, devenu monstrueux, ne peut échapper aux regards, car c'est bien là l'enjeu de la métamorphose : montrer à tous, avertir chacun. Tout effort de dissimulation est inutile. En témoigne la fin de l'histoire. Le barbier du roi tente de ne pas le trahir en se confiant uniquement à la terre. Il creuse un trou dans un lieu isolé et enterre les mots du secret. Mais cette précaution est vaine, car « des roseaux poussent, juste à l'endroit où la terre a été remuée », « le vent qui les balance répète les mots enfouis dans le sol. Et désormais, dans le royaume, tout le monde sait que le roi Midas a des oreilles d'âne ! ».

DES ORIGINES MONSTRUEUSES

Avec « Deucalion et Pyrrha », *Les Métamorphoses* d'Ovide s'apparentent à une *cosmogonie*, c'est-à-dire un récit visant à expliquer l'origine du monde. Après avoir fait disparaître le royaume d'Arcadie (voir p. 168), Jupiter souhaite détruire la race des humains car « ils ont commis trop de crimes » (p. 14). Il détruit tous les êtres vivants par un déluge. Seul un couple survit : Deucalion et Pyrrha. Ils sont épargnés en raison de leurs qualités morales : « On ne pouvait trouver homme plus vertueux, ni femme plus respectueuse envers les dieux » (p. 17).
Seuls sur terre, Deucalion et Pyrrha trouvent refuge et conseil auprès de la déesse Thémis. Celle-ci leur demande de jeter derrière eux « les os de [leur] grand-mère ». Cette formule énigmatique désigne les pierres car la « grand-mère des hommes » est Gaïa, la Terre. Dès lors, c'est une métamorphose monstrueuse qui permet le repeuplement de la terre : « et voici que les pierres qu'ils lancent dans leur dos, en tombant, s'amollissent, se gonflent, prennent une vague forme humaine, telles des ébauches de statues. Les parties humides deviennent chair ; les parties dures, squelette ; les veines de la roche restent des veines. Derrière Deucalion naissent des hommes, derrière Pyrrha, des femmes » (p. 19). La « race nouvelle » ainsi créée garde un lien avec son

origine : « Race [...] qui est encore aujourd'hui la nôtre, résistante au travail, dure à la peine, puisqu'elle a la force des pierres. » Ce récit élargit à tous les hommes et à toutes les femmes une part de monstre.

AUX LIMITES DE L'HUMAIN

Si, à plusieurs égards, les hommes sont monstrueux, comment faut-il qualifier les héros, qui peuplent *Les Métamorphoses* et accomplissent des exploits qui révèlent des qualités supérieures à celles des autres humains ? Ne sont-ils pas « monstrueux » dans la mesure où ils ressemblent aux humains mais les surpassent au point qu'une ligne de démarcation se dessine entre eux et le reste des hommes ? D'ailleurs, certains de ces héros sont fils de roi mais d'autres ont des origines divines (ils ont une apparence humaine mais sont le fruit de l'union d'un dieu avec une mortelle). Ainsi, Persée a pour mère une mortelle et pour père Jupiter. Le jeune guerrier bénéficie de l'aide de ce dieu puissant par l'intermédiaire d'autres dieux. Minerve lui fournit son précieux bouclier, Mercure lui donne « une courte épée à lame courbe munie d'un crochet » (p. 62) appelée « harpé », et les nymphes lui offrent ses sandales ailées. Ce sont ces trois présents qui lui permettent de vaincre Méduse, Atlas et le monstre marin. Ces origines divines placent Persée au-dessus des simples mortels ; cette ascendance fait de lui un être hybride, inhumain, un demi-dieu.
Ce sont aussi ses origines divines qui distinguent Bacchus. Il a pour mère la mortelle Semélé, qui meurt pendant sa grossesse. L'enfant survit en étant « cousu dans la cuisse de son père »

[p. 53], qui n'est autre que le dieu Jupiter. Plus tard, Bacchus voyage en Asie et en Europe pour apprendre aux hommes à cultiver le vin. Il a une apparence humaine mais des pouvoirs de magicien. Cette dualité n'échappe pas à l'un des marins qui le conduit, qui crie ses soupçons – « Quel monstre tu es ! » [p. 59] –, juste avant d'être transformé en dauphin.

LE MONSTRE COMME PRODIGE

Dans *Les Métamorphoses*, la transformation des êtres humains est le fruit d'une intervention divine. Quelle qu'elle soit, elle est donc toujours *monstrueuse*, au sens étymologique : le monstre est ce qui avertit de la volonté des dieux, donne à voir aux mortels la puissance de ces derniers.

PUNITION OU RÉCOMPENSE

La transformation de Lycaon en loup est une punition. Mais la métamorphose peut aussi s'apparenter à une récompense. Aussi le prodige que désigne le mot « monstre » est-il imprégné d'une forme de neutralité : il vient reconnaître des défauts ou des qualités.

La métamorphose en femme de la statue que Pygmalion a créée avec talent et amour vient récompenser la dévotion du sculpteur à l'égard de la déesse Vénus qui, touchée, donne vie au marbre : « Il se pencha sur [la statue] et l'embrassa. Il lui sembla que le corps était tiède. Il s'approcha davantage, tâta le cou, les épaules, la poitrine : sous ses mains, l'ivoire s'amollit, s'enfonça, prit la consistance de la cire [...]. [...] ce corps était bien vivant. Pygmalion sentait battre les veines au contact de ses doigts » (p. 127). Et Pygmalion remercie la déesse pour ce prodige en lui rendant grâce immédiatement après la métamorphose : « Alors, plein de reconnaissance, il rendit grâce à Vénus et put enfin poser sa bouche sur une bouche véritable. »

De même, la transformation de héros en étoiles ou en constellations est une consécration et/ ou une récompense exceptionnelle, puisqu'elle est visible du plus grand nombre. Il suffit de tourner les yeux vers le ciel pour voir Orion, Andromède et la Grande Ourse. Par ces prodiges, les dieux manifestent leur puissance à l'ensemble des mortels.

UN MESSAGE À DÉCHIFFRER

Si ces mutations, comme le passage de l'inanimé à l'animé [très rare dans *Les Métamorphoses*], sont des récompenses des dieux, la nature de la métamorphose, souvent, ne permet pas de déterminer s'il s'agit d'une punition ou d'une marque de reconnaissance. En effet, la transformation en arbre ressemble tantôt à une consécration, tantôt à un châtiment. Philémon et Baucis deviennent « deux arbres entremêlant leurs branches » [p. 110]. Parce qu'il honore les dieux, et se comporte de façon exemplaire, le couple est sauvé par cette métamorphose quand le village entier est englouti [p. 105] : les branches entrelacées unissent à jamais ces deux amoureux qui souhaitaient ne pas être séparés par la mort. L'image harmonieuse encourage le lecteur à se conduire comme ce couple humble et généreux. Inversement, la nymphe Lotis transforme Dryopé en arbre pour se venger de l'offense que celle-ci lui a faite. En effet, Dryopé a cueilli quelques fleurs de l'arbre dont Lotis a pris l'apparence, le lotus, pour échapper aux avances du dieu Priape. La sœur de Dryopé assiste impuissante à la métamorphose : « Et moi, moi, je suis là, et je ne peux rien faire. Ah ! ma sœur chérie ! comment te porter secours ? J'entoure de mes bras le tronc de l'arbre et ses branches, et, de toutes mes forces, j'essaie de retarder leur croissance » [p. 113]. Ainsi, la même transformation peut avoir deux lectures différentes. En ce sens, le monstre ne doit pas seulement être « regardé », comme on le ferait pour un objet curieux ; il faut connaître son histoire pour réussir à identifier son sens, observer l'émotion de ceux qui assistent à la scène pour en cerner la valeur. L'affront de Dryopé était involontaire mais la nymphe reste inflexible, car l'offense faite à une divinité est une faute grave, proche du pire, l'*hybris*...

L'*HYBRIS*, OU LA TRANSGRESSION À RÉPRIMER

L'*hybris*, ou *hubris*, est bien plus que l'orgueil. C'est la prétention d'un être humain à pouvoir dépasser un dieu. En voulant rivaliser avec la déesse Pallas [Athéna chez les Grecs/ Minerve chez les Romains] lors d'un concours de tissage, Arachné fait preuve d'*hybris*. Cette fille « d'origine modeste » [p. 86] oublie sa condition et le respect qu'elle doit à la déesse en la défiant. Non seulement elle prétend la surpasser mais elle refuse de s'excuser. Le tissage réalisé par Pallas représente des scènes mythiques où « les humains sont métamorphosés et punis chaque fois qu'ils veulent rivaliser avec les immortels » [p. 89].
Ces images résonnent comme un dernier avertissement à l'attention d'Arachné, mais elle persiste et tisse. La punition annoncée se produit : « La déesse [...] asperge la Lydienne du suc d'une herbe empoisonnée. Aussitôt les cheveux d'Arachné tombent, et son nez, et ses oreilles. Sa tête rapetisse, son corps fond. À ses

flancs s'attachent, au lieu de jambes, de maigres doigts interminables. Il ne lui reste plus qu'un ventre, d'où sort un fil. Et de ce fil, devenue araignée, Arachné file, file, file et tisse sa toile pour l'éternité... » (p. 90-91). Par cette transformation monstrueuse, les dieux mettent en garde contre l'*hybris* et ses graves conséquences. L'irrévérence ou la désobéissance à un dieu est une contestation de la hiérarchie qui existe entre les hommes et les dieux, les seconds dominant le monde des premiers. Un humain qui défie un dieu remet en cause le cosmos, c'est-à-dire le monde tel qu'il est ordonné harmonieusement. Or, toute remise en cause du cosmos est considérée comme le début du Chaos. De ce point de vue, la punition du coupable est perçue comme une réparation (on parle de « rédemption ») : elle réaffirme l'ordre du monde.

DES MONSTRES QUI RASSURENT

Ainsi, contrairement à ce que l'on peut penser spontanément, si *Les Métamorphoses* donnent à voir des monstres sous toutes leurs formes, ce n'est pas seulement pour effrayer ; c'est aussi pour rassurer !

Les monstres sont là pour prévenir les hommes des conséquences de leur désobéissance et pour signaler que les dieux veillent afin de préserver l'ordre contre le Chaos. Il ne faut pas oublier que *Les Métamorphoses* sont écrites dans une période particulière. En évoquant Octave Auguste, la fin des *Métamorphoses* souligne que les mythes ont aussi une fonction politique. Ovide sait que Rome a été affaiblie par des guerres civiles, il souhaite donc retrouver une unité, l'ordre et l'harmonie.

TABLE DES MATIÈRES

CONTES ET LÉGENDES

Tout un monde de lecture
entre les mains.

TITRES DÉJÀ PARUS

Flammarion jeunesse

16 nouvelles Métamorphoses d'Ovide

Ovide adapté par Françoise Rachmul

Directement issus des *Métamorphoses* d'Ovide, 16 nouveaux contes, réécrits dans une langue moderne : pour découvrir les aventures de grands personnages mythologiques tels qu'Apollon, Hermaphrodite, Callisto et Icare... Un recueil pour apprendre en s'évadant...

« Sur ces paroles, Cupidon s'envola à tire-d'aile jusqu'au sommet du mont Parnasse. Là, il tira de son carquois deux flèches : la première en métal, avec une pointe aiguë, faisait naître un amour fou ; la seconde, aussi molle qu'un roseau émoussé du bout, rendait insensible à l'amour. La première flèche atteignit Apollon… »

Petites histoires de familles dans la mythologie

Brigitte Heller-Arfouillère

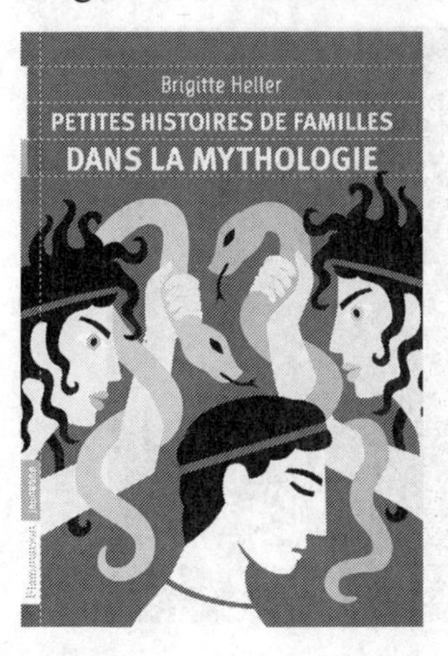

Face aux caprices du destin, dieux et mortels affrontent les mêmes épreuves. Pour mieux comprendre les exploits mais aussi les drames qui touchent les héros de la mythologie, levons le voile sur leurs secrets de famille. Chacun de ces récits nous raconte les joies et les peines des plus illustres d'entre eux.

« Zeus est le premier symbole de la famille. Il aime ses enfants, aide ses frères et sœurs, protège ses neveux. Il y a bien sûr quelques trahisons, des mensonges et des déceptions. Mais c'est le cas dans toute vie de famille. »

Petites histoires des expressions de la mythologie

Brigitte Heller-Arfouillère

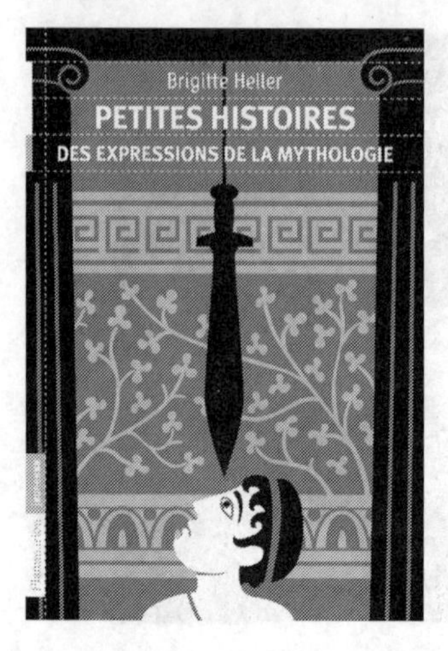

Avez-vous déjà rencontré votre « sosie » ? Qu'avez-vous ressenti alors ? Avez-vous été « médusé », ou « paniqué » ? Peut-être connaissez-vous aussi quelqu'un qui est « riche comme Crésus »... Tout cela est du charabia ? Et pourtant ces expressions ont une histoire ! Des joies, des drames, des aventures sont à l'origine de chacune d'elles. Nouons donc un lien magique avec le passé et plongeons au cœur de la mythologie.

« Damoclès leva les yeux et se figea : une épée était suspendue juste au-dessus de sa tête. – Mais… balbutia-t-il, pourquoi cette épée, et comment est-elle attachée ? – Elle tient par un fil, plus précisément par un crin de mon cheval. »

Flammarion Jeunesse

12 récits de l'Iliade et de l'Odyssée
Homère adapté par Michel Laporte

Généreux et colériques, fragiles et forts, les héros Homériques sont humains ! Douze récits passionnants qui nous plongent au cœur des combats d'Achille et d'Hector durant la guerre de Troie, et nous font voyager aux côtés d'Ulysse lors de son extraordinaire épopée. Des histoires qui, depuis l'Antiquité grecque, suscitent la même fascination...

« Je reconnais bien là ton cœur de fer. Mais prends garde à la colère des dieux ! Le jour est proche où, si brave que tu sois, tu périras à ton tour ! »

Flammarion Jeunesse

L'Odyssée
Homère

Pour avoir fait bâtir le cheval de bois qui a permis d'envahir Troie, Ulysse est poursuivi depuis dix ans par la colère de Poséidon. Condamné à errer sur les mers et les terres les plus hostiles, il doit affronter les pires dangers et tentations pour espérer revoir Ithaque, sa patrie. Mais le temps presse : les prétendants au trône occupent son palais, courtisent sa femme et menacent son fils... Ulysse arrivera-t-il à temps ?

« Je devrais être envahi par la terreur en songeant aux monstres qui guettent ici, mais seule la colère m'envahit. Je brandis mon poing vers le ciel. Je maudis les dieux qui nous infligent de tels tourments et hurle mes ordres. »

9 héroïnes de l'Antiquité
Brigitte Heller-Arfouillère

Derrière chaque héros, chaque dieu de l'Antiquité, se trouve l'histoire d'une femme. À travers neuf récits, l'auteur nous livre leurs colères, leurs amours, leurs espoirs... Tour à tour possessives, insoumises ou terribles, ces neuf personnalités bien différentes sont pourtant liées par un but commun : celui de mener leur vie selon leur désir, quoi qu'il en coûte.

« Didon demanda aide aux dieux, hésitante. Elle doutait de tout à présent. Qui dirigeait vraiment sa vie ? Elle, reine de Carthage, ou tous ceux à qui l'on offrait des sacrifices afin qu'ils vous épargnent le pire des destins ? »

12 récits de *L'Énéide*
Michel Laporte

L'ensemble des chapitres de l'œuvre originale de Virgile ont été abrégés et adaptés à l'enseignement avec notamment le résumé des chapitres et un petit glossaire des personnages. Ces récits de *L'Énéide* conservent pour autant tout leur charme authentique grâce aux quelques extraits en latin suivis de leur traduction.

Dieux, héros, amours et combats, cette épopée bouleversante nous entraîne de la prise de Troie jusqu'à la descente d'Énée aux enfers en passant par ses amours malheureuses avec la belle Didon. Une bonne approche des récits antiques qui constitue également une introduction parfaite à l'étude de la civilisation romaine.

12 récits et légendes de Rome

Michel Laporte

Rome ne s'est pas faite en un jour... Depuis Énée fuyant Troie en proie aux flammes, à Hannibal traversant les Alpes à dos d'éléphant, elle a connu de nombreuses figures héroïques. La naissance de Romulus et Remus, l'enlèvement des Sabines, les oies du Capitole : ces douze récits nous racontent les événements qui ont marqué l'histoire de Rome, et créé le mythe !

N° d'édition : L.01EJEN001610.A003
Dépôt légal : mars 2019
Loi n° 49 956 du 16 juillet 1947
sur les publications destinées à la jeunesse
Imprimé en Espagne par Novoprint (Barcelone)